DÉLIRONS AVEC Léon

BD, GAGS, JEUX ET PLUS ENCORE !

SPÉCIAL VACANCES

PAR

ANNIE GROOVIE

Bon voyage!

*Un merci tout spécial
à Robert Lamontagne,
Alain Riou,
Yannick Picard et
Jean-Thomas Jobin.*

EN VEDETTE :

LÉON ›
NOTRE SUPER HÉROS

EN PRIME,
UN FLIP BOOK
DE LÉON !

ET SES AMIS ›

LE CHAT

LOLA

TABLE DES MATIÈRES

BANDES DESSINÉES .... P. 13-25, 81-92

PUB QUIZ .... P. 26

QUE FAIRE CET ÉTÉ ? .... P. 27-35

SAVIEZ-VOUS ÇA ? .... P. 36, 102, 164

PAUSE PUB .... P. 37-38, 109-110, 159-160

L'EN-CYCLOPE-ÉDIE .... P. 39-43

POURQUOI ? POURQUOI ? .... P. 46-49

LA RÉFLEXION DE LÉON .... P. 50-51, 122-123

LA VIE «GROOVIE» D'ANNIE .... P. 53-60

TRUCS PRATICO-PRATIQUES .... P. 61

ELLE EST BONNE ! .... P. 62-63

LE MÉTIER SUPER COOL .... P. 64-67, 98-101, 118-121

RECETTES ESTIVALES .... P. 68-69

LE TOUR EST JOUÉ ! .... P. 71

TRUCS DE SÉDUCTION .... P. 72-73

C'EST QUOI LA DIFFÉRENCE... ? .... P. 74

LÉGENDES QUÉBÉCOISES .... P. 75-79, 133-137, 179-183

ÉNIGME .... P. 80

LE FOOT ! .... P. 93-95

ILLUSIONS D'OPTIQUE .... P. 96-97

QUE FAIRE DE VOS 10 DOIGTS .... P. 103-108

ÉNIGMES VISUELLES .... P. 112-113

INTERPRÉTATION DES RÊVES .... P. 114-117

LANCEZ UN DÉFI À VOS AMIS ! .... P. 124-125

ANIMAL ORIGINAL .... P. 126-129

VRAI OU FAUX ? .... P. 130-131

EXPÉRIENCE TRIPPANTE .... P. 138

PORTRAIT D'UN QUÉBÉCOIS CÉLÈBRE .... P. 139-144

TERRAIN DE JEUX .... P. 146-157

D'OÙCÉQUECÉQUEÇAVIENT ? .... P. 161-163

DES ÉTÉS QUI SONT PASSÉS À L'HISTOIRE ...... P. 165-173

TEST PERSO .... P. 174-177

AYEZ L'AIR INTELLIGENTS .... P. 185-187

LES PERSÉIDES .... P. 188

CODE SECRET .... P. 189-193

SOLUTIONS .... P. 194

Ça y est, la neige a fondu, les journées se RÉCHAUFFENT et l'école est finie… Youpi! C'est le temps des vaCanCes! Quel bonheur d'enfiler à nouveau ses vieilles gougounes et de sortir prendre un peu de soleil. Moi, j'attends toujours ce moment de l'année avec beaucoup d'impatience… Ah, l'ÉTÉ, c'est ma saison préférée!

Que ferez-vous pendant vos VACANCES? Quoi, vous ne le savez pas encore? Pas de panique, j'ai quelques IDÉES à vous suggérer: partir en famille découvrir un coin de pays, voler en montgolfière, vous lier d'amitié avec une girafe ou vous prendre pour Tarzan ou Superman! Tout cela est possible. Pour en savoir plus, lisez ce livre…

Et que dire des fameux FESTIVALS! En été, il en existe plus de 200 juste à travers le Québec! Leurs thèmes vont de la gibelotte au cochon, en passant par le country; il y en a sûrement un qui saura piquer la CURIOSITÉ de votre famille! Vous pourriez aussi opter pour une simple baignade à la piscine publique, un pique-nique au PARC, une visite chez votre tante au Saguenay ou à Gaspé, ou encore décider d'aller à la PLAGE, au camp de jour, etc.

Peu importe l'activité que vous choisirez, ce LIVRE sera un parfait compagnon de vacances: il sera là pour vous détendre, vous DIVERTIR, vous instruire, vous occuper, vous changer les idées ou tout simplement vous faire rigoler. Et ça tombe bien parce que rire, c'est excellent pour la santé.

Oui, oui, comme une bonne pomme ou du brocoli! RIRE
fait bouger les muscles du visage, ce qui retarde la création
de rides. Rire provoque un massage de la cage thoracique,
ce qui permet de libérer les poumons, de faire sortir les résidus.
RIRE oxygène le sang, pour ainsi donner plus d'**énergie**. Enfin,
rire diminue le stress, aide à mieux digérer et même à brûler des
calories! Génial, non? Tiens, ça me surprend que personne
n'ait pensé à inventer le « régime du *RIRE* »…

Comme ce livre a été conçu pour vous accompagner tout l'été,
il devait être pratique et facile à utiliser, n'importe où.
D'où l'idée d'y intégrer un *SIGNET* sous forme
de petits pointillés dans le coin de chacune des pages.
Comment ça fonctionne? C'est **simple**. Vous êtes en train de lire
et, tout à coup, l'envie vous prend d'aller faire une petite saucette
dans la PISCINE. Pas de problème. Il suffit de plier le coin de la
page où vous étiez rendus, et **voilà**, le tour est joué.
Bonne baignade… et bonnes VACANCES!

Annie Groovie

BANDES DESSINÉES

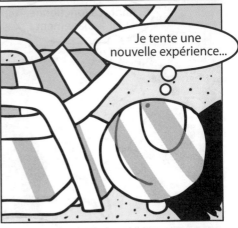

PFFFFFFFFFFFFFFFFFFFF...

ALLONS-Y !

LE MOT LE DIT...

L'AIR DE MANGER

« SPA » ORDINAIRE !

LE SOLEIL VEILLE TARD...

Pub Quiz

CHAQUE JOUR, NOUS SOMMES INONDÉS DE PUBLICITÉS.
VOYONS VOIR SI VOUS EN AVEZ REMARQUÉ QUELQUES-UNES...

À quelles entreprises appartiennent ces slogans publicitaires ?

(Vous y êtes probablement déjà allés manger ou magasiner...)

a) « Pensez frais, mangez frais »

b) « Une chance que je t'ai »

c) « Toujours frais »

d) « Économisez plus. Vivez mieux. »

Connaissez-vous bien les produits que vous consommez ?

a) Quelle boisson énergisante est censée « donner des ailes » ?

b) À l'intérieur de l'emballage de quelle marque de gomme balloune trouve-t-on une miniBD ?

c) Quelle chaîne de restauration rapide vend le célèbre Whopper ?

Solutions à la page 194

QUE FAIRE CET ÉTÉ ?

VOUS N'AVEZ PAS D'IDÉES ?
PAS DE PANIQUE, SUIVEZ-MOI...

(Annie Groovie vous fait quelques suggestions...)

ACTIVITÉS

L'été, c'est la saison idéale pour passer du bon temps en famille. Mais que faire ? Vous connaissez déjà tous les parcs aquatiques, les zoos, les parcs d'attractions et les miniputts. Voyons voir ce que je pourrais vous suggérer de différent...

ENVOLEZ-VOUS HAUT DANS LES AIRS !

MONTGOLFIÈRE AVENTURE offre des tours de ballon dans les régions de Québec et de Montréal. Génial, non ? Ça doit être toute une expérience...
www.montgolfiereaventure.com

PRENEZ-VOUS POUR TARZAN...

Essayez l'hébertisme aérien ! D'Arbre en arbre est un vaste réseau de parcs récréatifs d'aventure aménagés de façon à propulser vos émotions jusqu'aux plus hauts sommets. À Saint-Félicien, Cap-Chat, Saint-Pacôme, Duchesnay, Mont-Laurier, Shawinigan, Drummondville et Mirabel.
www.arbreenarbre.com

VROUM, VROUM... TASSEZ-VOUS !

Il pleut ? Profitez-en pour aller faire du karting ! Pour trouver le centre le plus près de chez vous, tapez tout simplement le mot « karting » sur Internet. Il y en a un peu partout...

LAISSEZ S'EXPRIMER L'ARTISTE EN VOUS !

Les « cafés céramique » sont des endroits très sympathiques où vous pouvez peindre sur à peu près tout ce qui peut être fabriqué en terre cuite : des assiettes, des tasses, des bols pour les chiens, des tirelires, des figurines, et j'en passe ! Et cela, tout en savourant un bon chocolat chaud... Personnellement, j'adore cette activité. À Montréal, Québec, Laval, Sainte-Agathe-des-Monts, Dollard-des-Ormeaux, etc. Le seul hic, c'est qu'il faut prévoir une semaine pour la cuisson de la pièce...

METTEZ LA MAIN À LA PÂTE !

Tiens, tiens, pourquoi ne pas apprendre à cuisiner ? Quelle bonne idée (miam-miam...) ! Et ça tombe bien, car il existe des camps de cuisine, l'été... L'Académie culinaire se trouve à Montréal, mais il y en a sûrement d'autres ailleurs... www.academieculinaire.com

BONG, BONG !

Le club de trampoline ACROSPORT BARANI de Laval vous offre plusieurs façons de vous amuser : trampoline, double-minitrampoline, trampolette, cirque, trapèze, fil de fer, corde de Tarzan, escalade et plusieurs autres activités. Profitez-en, c'est le temps de sauter partout ! www.acrosportbarani.com

YOUHOU ? T'ES OÙ ?

Avez-vous déjà vu un labyrinthe géant ? Imaginez vous perdre là-dedans... À Saint-Jean-sur-Richelieu (www.lelabyrinthe.ca), à Magog (www.labyrinthemagog.ca) et en Outaouais – et ce dernier est spécial... car il est dans l'eau ! www.eco-odyssee.ca

SUUUUPERMAN !

Vous rêvez depuis toujours de voler ? Oui, oui, voler dans les airs ! C'est maintenant possible grâce à l'AÉRODIUM, sur l'île Notre-Dame, à Montréal. www.aerodium.qc.ca

EN BATEAU !

Que diriez-vous de faire une croisière sur le fleuve Saint-Laurent ? Par exemple, vous pourriez voguer de Montréal à Québec en une journée ! Ça doit être assez enrichissant comme expérience, non ? www.croisieresaml.com

ALLEZ, HOP !

Vous aimeriez vous balancer très haut dans les airs et vous laisser ensuite tomber dans un immense filet, comme au cirque ? Ça vous plaît comme idée ? Essayez le trapèze volant, vous ne serez pas déçus... À Montréal (www.trapezium.qc.ca), à Saint-Eustache (www.trapezelevoltigeur.qc.ca) et à Québec (www.ecoledecirque.com).

CAMPS DE VACANCES

Quoi de mieux qu'un camp de vacances pour vraiment décrocher ? Vous aimez les animaux, la musique, le théâtre ? C'est l'occasion rêvée de partir quelques jours à l'aventure tout en faisant ce qui vous plaît vraiment... sans vos parents !

CAMP DE VACANCES DU ZOO SAUVAGE DE SAINT-FÉLICIEN > POUR LES 8 À 12 ANS

(Saint-Félicien • Saguenay–Lac-Saint-Jean) Ce camp vous offre la chance unique de visiter le Zoo de Saint-Félicien d'une façon bien spéciale... Comment ? En suivant les gardiens animaliers, en observant le vétérinaire et en nourrissant des animaux ! Vous serez aussi initiés au monde des plantes, des champignons, des invertébrés, des amphibiens, des reptiles, des oiseaux et des mammifères. Nouveauté cette année : les habitats de la Mongolie, avec les chameaux de Bactriane, les yacks, les yanghirs, etc. www.zoosauvage.org

CAMP DES ARTISTES > POUR LES 8 À 16 ANS (Saint-Aubert • Chaudière-Appalaches)

Trois, deux, un... action ! Ce camp est spécialisé en théâtre, en danse, en chant, bref, en tout ce qui se passe sur la scène. Au programme : projection de la voix, articulation, jeux d'improvisation, baignade, canot, kayak, escalade, activités au parc aquatique, hébertisme, tir à la carabine, etc. www.camps-odyssee.com/camp-des-artistes

CAMP DU CENTRE ÉCOLOGIQUE DE PORT-AU-SAUMON > POUR LES 8 À 17 ANS

(La Malbaie • Charlevoix) Ce camp vous fait découvrir tous les aspects de la protection de notre belle planète. Au programme : côtoyer des animaux marins (étoiles de mer, oursins, anémones, poissons, etc.), faire de l'escalade, observer les constellations et les planètes, découvrir la faune et la flore de la baie de Port-au-Saumon, faire une collection d'insectes, jouer au soccer, passer la soirée autour d'un feu de camp, créer un vivarium et plus encore ! www.cepas.qc.ca

CAMP DE LA CHANSON DE PETITE-VALLÉE > POUR LES 8 À 88 ANS !

(Petite-Vallée • Gaspésie) Ce camp situé dans un petit village au bord de la mer vous permet de développer vos talents en chant, en écriture ou en composition de chansons. Au menu : ateliers de formation en chant, en performance scénique et en écriture, création et présentation d'un spectacle, rencontres avec des artistes professionnels, théâtre, randonnées pédestres, visites touristiques, feux de grève, etc. www.festivalenchanson.com

CAMP DES DÉBROUILLARDS ARUNDEL > POUR LES 5 À 17 ANS

(Arundel • Laurentides) Vous êtes fascinés par la science et ses mystères ? Vous aimerez ce camp, car il est associé aux célèbres magazines *Les Débrouillards* et *Les Explorateurs*. Au programme : sciences, jeux, défis, kayak, rabaska, escalade, invités spéciaux, sorties, spectacles, camaraderie... Toute une expérience ! www.campdesdebrouillards.com

CAMP DU DOMAINE ÉQUESTRE EURÊKA > POUR LES 5 ANS ET +

(Sainte-Cécile-de-Milton • Cantons-de-l'Est) Au camp Eurêka, les passionnés d'équitation seront servis ! Ils passeront quatre heures par jour, à l'écurie avec les chevaux et les petits animaux de la ferme. En plus des leçons d'équitation et du soin des chevaux et des animaux de la miniferme, leur horaire comprendra les activités suivantes : théâtre, escalade, volley-ball, badminton, vélo, téléphérique, survie en forêt, hébertisme, natation, pêche, randonnée pédestre, attelage et canotage. www.domaineeureka.com

CAMP DE CIRQUE GÉRONIMO > POUR LES 8 À 16 ANS (Lachute • Laurentides)

Imaginez, faire quatre heures de cirque par jour sous un grand chapiteau ! C'est génial ! Au menu : trapèze, corde volante, cerceau, tissu, gymnastique au sol, trampoline, main à main, échasses, fil de fer, rola bola, balles, quilles, assiettes chinoises, diabolo, bâtons fleurs, monocycle, arts clownesques, maquillage artistique et magie ! Tout ça en plus des activités de plein air comme la baignade, la haute voltige (trajet d'arbre en arbre), le Fort Drakkar et ses épreuves, le tir à l'arc et l'hébertisme. www.geronimo.qc.ca

CAMP MUSICAL ACCORD PARFAIT > POUR LES 7 À 17 ANS

(Saint-Aubert • Chaudière-Appalaches) Que vous soyez amateurs de rock, de jazz ou de musique classique, ce camp vous offre de faire de la musique à votre goût, accompagnés de professeurs passionnés et chevronnés. Au programme : initation à la musique, musique de groupe avec tournée, comédie musicale, composition et musique de film, en plus d'une multitude d'activités de plein air ! Cours individuels et de groupe, ensembles vocaux, piano à quatre mains, orchestre et accompagnement, *stage band*, ateliers découverte. www.camps-odyssee.com/camp-musical-accord-parfait

SOURCE : WWW.CAMPS.QC.CA

31

FESTIVALS

Qui dit été dit festivals ! Il y en a vraiment pour tous les goûts : leurs thèmes vont du cochon à la gibelotte, en passant par le country, la gigue et le bleuet ! Voici donc mon «top 15» des festivals d'ici les plus intéressants et les plus rigolos...

Pour connaître les dates et les autres détails, visitez le www.bonjourquebec.com.

LES CARTONFOLIES (Cabano • Bas-Saint-Laurent)

Quatre jours d'activités originales aux concepts inusités ayant pour thème le carton. À ne pas manquer : les courses de bateaux en carton sur le lac Témiscouata, les épreuves des Cartonlympiades, la course de tacots Grand Prix Formule Carton, les feux d'artifice, les spectacles et les œuvres du Concours Créencarton.

FESTIVAL ENVIRONNEMENTAL ÉCHOFÊTE

(Trois-Pistoles • Bas-Saint-Laurent) Le premier festival environnemental au Québec ! C'est un rendez-vous écologique, écotouristique et culturel qui a pour but de sensibiliser la population aux problématiques environnementales. On y présente des animations, des kiosques, des conférences et des spectacles pour toute la famille.

MONDIAL DES AMUSEURS PUBLICS DESJARDINS DE TROIS-RIVIÈRES (Cap-de-la-Madeleine • Mauricie)

Des frissons, du rire, du rêve ! Depuis 18 ans, cet incontournable festival familial offre un aperçu du monde du cirque, de la scène et de la rue. Découvrez un univers fantastique !

FESTIVAL GIGUE EN FÊTE (Sainte-Marie • Chaudière-Appalaches)

Pendant quatre jours, le festival Gigue en fête vous invite à découvrir plus de 200 artistes d'ici et d'ailleurs qui font de la danse et de la musique traditionnelles. Spécialités : la gigue québécoise et internationale, la danse percussive et les percussions. Spectacles et animations, initiations, restauration ethnique, expositions et amuseurs de rue sont au programme !

MERVEILLES DE SABLE DE GATINEAU (Outaouais)

C'est l'unique compétition nationale de sculpture sur sable ! Admirez les œuvres monumentales de maîtres sculpteurs ou participez vous-mêmes aux concours familial et amateur. Au menu : spectacles de percussions, amuseurs publics, ateliers de sculpture, grands jeux et plus encore !

LA FÊTE DES MASCOTTES ET DES PERSONNAGES ANIMÉS DU QUÉBEC (Granby • Cantons-de-l'Est)

Cet événement dynamique propose quatre jours de festivités familiales. Plusieurs mascottes, une parade, des spectacles et beaucoup d'animations sont prévus au cœur du centre-ville de Granby !

FESTIVAL DE L'OMELETTE GÉANTE DE GRANBY (Granby • Cantons-de-l'Est)

Le Festival de l'omelette géante de Granby, c'est une prestation de 50 chevaliers préparant, dans une très grande poêle, une omelette gigantesque que tous peuvent déguster gratuitement le 24 juin, à la Saint-Jean. Cette omelette se compose de 15 000 œufs, de 13 litres d'huile et d'épices secrètes des « grands maîtres », le tout apprêté dans une poêle ayant pour manche rien de moins qu'un poteau de téléphone !

FESTIVAL DE LA GIBELOTTE DE SOREL-TRACY (Sorel-Tracy • Montérégie)

Le Festival de la gibelotte présente neuf jours d'activités au centre-ville de Sorel-Tracy. Dans une ambiance magique, découvrez le mets typique de la région, la gibelotte des îles, et participez aux divers événements organisés pour l'occasion. Visitez le village des artisans et profitez de la gigantesque vente-trottoir, qui comporte une grande section pour les enfants.

FESTIRAME (Alma • Saguenay–Lac-Saint-Jean)

Il s'agit d'une fête populaire où jeunes et moins jeunes sont invités à participer à des activités sportives (compétitions de chaloupes à rames, de tacots d'eau, randonnée en kayak, etc.) ainsi qu'à des activités culturelles et familiales (spectacles d'artistes, journée pour les enfants, feu d'artifice, défilé, etc.).

Suite...

FESTIVAL DU BLEUET DE DOLBEAU-MISTASSINI

(Dolbeau-Mistassini • Saguenay–Lac-Saint-Jean) Fruit emblématique régional, le bleuet est prétexte à la fête. Pendant le festival, on propose plusieurs activités : expositions, animations, spectacles, jeux géants, concours « bleuet », défilé de nuit, dégustation d'une tarte géante, etc. Le Festival du bleuet est une fête populaire pour toute la famille.

FORT CAUSAP, AU ROYAUME DU SAUMON (Causapscal • Gaspésie)

Ce festival est à l'image de la populaire émission *Fort Boyard*. Durant une longue fin de semaine, 30 équipes de 10 personnes subissent, à tour de rôle, une série d'épreuves toutes plus inimaginables les unes que les autres. Causapscal se transforme pour l'occasion en un immense terrain de jeux.

TREMBLANT SOUS LES ÉTOILES (Mont-Tremblant • Laurentides)

Un des plus grands événements astronomiques du Québec se déroule au sommet du mont Tremblant pendant les Perséides. Saisissez l'occasion d'admirer des dizaines d'étoiles filantes à l'heure, tout en participant à diverses activités éducatives pour toute la famille.

MONDIAL DES CULTURES DE DRUMMONDVILLE (Drummondville • Centre-du-Québec)

De la chaleur des terres africaines aux danses envoûtantes de l'Amérique latine, en passant par les merveilles de l'Asie et de l'Europe, le Mondial des Cultures est un véritable voyage autour du monde.

FESTIVAL DU COCHON DE SAINTE-PERPÉTUE (Sainte-Perpétue • Centre-du-Québec)

Vous y profiterez de tout plein d'activités cocasses et uniques en leur genre sous le thème du cochon. Sur le site, on propose un menu varié de mets à base de porc, ainsi qu'un centre de documentation sur cet animal. À voir aussi : les spectacles de plusieurs chanteurs populaires du Québec, les compétitions sportives et le rassemblement familial.

FESTIVAL DE LA POUTINE (Drummondville • Centre-du-Québec)

Celui-là vous tente beaucoup ? Le seul hic, c'est qu'il a lieu au début de septembre. Or, normalement, à ce moment, l'école est déjà recommencée... Pour vous consoler, allez plutôt en manger une au casse-croûte le plus près de chez vous !

VOYAGES

Quand on parle de voyage, ça ne veut pas nécessairement dire qu'il faut prendre l'avion pour se rendre à l'autre bout du monde. Vous pourriez tout aussi bien partir pour un week-end dans les environs, en voiture ! Voici donc ma petite liste de suggestions de voyages ou, disons, d'escapades...

ALLONS AU BORD DE LA MER !

Personnellement, j'aime bien prendre mes vacances au bord de la mer. Depuis quelques années déjà, je pars camper presque tous les étés dans l'État du Maine, aux États-Unis. Ce n'est pas très loin du Québec – il faut plus ou moins six heures pour s'y rendre en voiture – et pourtant, ça permet vraiment de changer de décor ! Sur la côte, on trouve plusieurs petits villages comme Old Orchard, Wells et Ogunquit. Et bien sûr, il y a la mer et la plage ! Si jamais vous y allez, nous nous verrons peut-être...

DÉCOUVRONS LE QUÉBEC !

Il y a aussi tout plein d'endroits formidables à visiter au Québec, comme le FJORD DU SAGUENAY, LA GASPÉSIE, CHARLEVOIX, LES ÎLES-DE-LA-MADELEINE, LES CANTONS-DE-L'EST, LES LAURENTIDES, etc. ! En plus d'y voir des paysages magnifiques, vous y découvrirez à coup sûr des tas de trésors culturels et naturels. Comme ce serait trop long de tous vous les énumérer, je vous suggère plutôt de visiter le site Internet suivant, qui propose, entre autres, des circuits touristiques déjà organisés.

www.bonjourquebec.com/qc-fr/routescircuits.html

Avec ça, vous serez bien équipés pour voyager ! Et si jamais vous avez envie de m'envoyer une carte postale pour me raconter votre périple, c'est simple, vous n'avez qu'à en découper une à la fin de ce livre, à y apposer un timbre et à me la faire parvenir au 5243, boul. Saint-Laurent, Montréal (Québec), H2T 1S4.

BONNES VACANCES !

Annie Groovie

Saviez-vous ça ?

Il existe un catamaran, *Le Plastiki*, qui est constitué principalement de bouteilles de plastique. Pas moins de 12 000 bouteilles ont servi à concevoir la structure du bateau, qui a aussi été assemblé à l'aide de matériaux recyclés. Les constructeurs ont également utilisé de la colle écologique faite à base de noix de cajou et de sucre pour fixer les différentes parties du catamaran.

L'initiateur de ce projet est le Britannique David de Rothschild. Son équipage et lui se sont donné pour mission de partir de San Francisco, aux États-Unis, et de se rendre jusqu'à Sydney, en Australie, en traversant l'océan Pacifique sur *Le Plastiki*. Leur objectif : promouvoir le recyclage.

C'est pas mal plus écologique que de traverser l'océan en avion ! En plus, lorsqu'ils arriveront à destination, ils pourront mettre leur embarcation... au recyclage ! Pour suivre leur voyage, visitez le www.theplastiki.com.

PAusE puB

Cet été, impossible de passer à côté du Festival du mouton gris !

Vous le verrez partout : sous le frigo...

... derrière les commodes...

J'en ai trouvé un !

... sur l'écran de la télé...

Cool !

... et même sur les meubles du salon !

Allô !

Oui, il est doux, mais attention...

... il fait éternuer !

Ahhhh...

... tchoum !

Cet été, ne manquez pas le Festival du mouton gris. Tous les jours, chez vous ! Bon Festival !

L'EN-CYCLOPE-ÉDIE

LES PISCINES

Imaginez passer un été sans piscine. Ce serait triste, non ? Quoi de mieux, en effet, qu'une saucette dans l'eau fraîche d'une piscine lorsqu'on n'est plus capable de lever le petit doigt tellement le temps est chaud et collant ! Mais saviez-vous que les piscines ne poussent pas dans les cours des maisons ? Et surtout, qu'elles ne datent pas d'hier ?

Le terme « piscine » vient du mot latin *piscis*, qui veut dire « poisson ». Pourquoi ? Peut-être parce qu'au tout début, les piscines n'étaient pas fabriquées par l'homme, mais étaient plutôt des bassins d'eau naturels, comme les lacs et les rivières, où l'on retrouvait beaucoup de poissons ! Pas bête du tout... Voyant comment c'était pratique d'avoir accès à un bassin d'eau, les hommes auraient décidé de creuser eux-mêmes des trous qu'ils remplissaient d'eau près du lieu où ils habitaient. On dit que la première construction du genre fut réalisée il y a près de 5000 ans dans la région du Pakistan, pays du Moyen-Orient.

Dans la Grèce antique, les gens prennent l'habitude, après avoir fait des exercices physiques difficiles, de se relaxer tout en se nettoyant et en nageant dans de grands bains, qui sont les véritables ancêtres de la piscine telle qu'on la connaît. Ces bassins d'eau sont souvent situés dans ce qu'on appelle la palestre (un genre de gymnase sans piste de course), lieu où l'on pratique la lutte et les autres sports.

Ils sont frileux, ces Romains !

Les Romains récupèrent ensuite l'idée des Grecs, en la développant et en l'améliorant. Ils inventent ainsi les thermes, un lieu public où sont regroupées des piscines intérieures chauffées par un foyer situé sous le bassin. Un peu comme un gros chaudron de soupe ! C'est beaucoup plus agréable de se tremper dans une eau chaude, pensent-ils. Cet endroit sert de lieu

de rencontre aux habitants des différentes cités : les hommes et les femmes peuvent le fréquenter, mais à différents moments de la journée. C'est l'endroit parfait pour se raconter de petits secrets !

Frotte, frotte, frotte !

Au Moyen-Âge (plus précisément entre les années 1100 et 1500), la tradition du bain public existe encore. Imaginez-vous, aujourd'hui, en train de vous laver avec vos voisins ou vos amis... C'est un peu bizarre, non ? Comme on considère que l'eau est un élément sacré, qui a des pouvoirs bienfaisants et purificateurs, fréquenter les bains publics devient au fil du temps un geste du quotidien. Dans toutes les villes d'Europe, chaque quartier possède des endroits où les gens peuvent aussi bien se laver que se relaxer. On y trouve de petites piscines en bois, hors du sol, d'une profondeur d'environ un mètre, qui rappellent un peu les thermes des Romains.

À bas les piscines !

Vers les années 1500, de nombreuses épidémies se répandent à cause de la pollution de l'eau. Beaucoup d'artisans, comme les bouchers, les teinturiers et les tanneurs*, jettent leurs déchets directement dans les rivières (dégueulasse!). Des maladies commencent alors à se transmettre par l'eau. Plus question que tout le monde trempe ensemble dans des bains publics ! Les mentalités changent complètement. Puis, environ un siècle et demi plus tard, débute le long règne de Louis XIV, un roi français qui décide que l'eau n'est plus une source de bien-être. Les gens arrêtent donc de se laver et commencent à se parfumer pour camoufler leurs odeurs corporelles. Ils peuvent passer des mois sans prendre de bain ! Imaginez ce que devaient sentir leurs pieds...

* Tanneur : personne qui prépare et traite les peaux de divers animaux pour la confection de vêtements ou d'autres articles en cuir ou en fourrure.

Nager, c'est bon pour la santé !

Jusqu'ici, dans notre récit, les piscines ont servi principalement de lieux de détente ou encore d'endroits où l'on pouvait aller se laver. Puis, un jour, la natation devient officiellement un sport ! C'est en 1785 que Barthélemy Turquin ouvre sa première école, où la nage est pratiquée dans une piscine flottante installée directement sur la Seine, le cours d'eau qui traverse la ville de Paris. Ensuite, l'arrivée des Jeux olympiques modernes, en 1896, amène le retour des grands bassins qui permettent la pratique de cette discipline sportive.

Utile et surtout amusante !

On dit que la première piscine hors terre telle qu'on la connaît aujourd'hui a été inventée aux États-Unis en 1907. Au début, seules les familles aisées peuvent s'en offrir une, mais plus les années avancent, plus les piscines privées gagnent en popularité. Vers la fin des années 1940, les premiers parcs aquatiques sont construits : on y trouve évidemment toutes sortes de bassins, des bains à remous et des toboggans dont la chute se termine directement dans l'eau (ce qu'on appelle aujourd'hui les glissades d'eau). À bien y penser, c'est comme si on retournait à l'époque des Romains, où les bains étaient un lieu de rencontre. Les parcs aquatiques sont des endroits tout désignés pour s'amuser entre amis !

Aujourd'hui...

Les piscines sont toujours très appréciées au Québec en raison de notre été particulièrement chaud et humide. De nos jours, les piscines publiques existent encore et sont très populaires dans les grandes villes, comme à Montréal, où il est bien difficile d'en avoir une privée dans sa cour. Elles sont un lieu de loisir, mais elles sont aussi la deuxième maison de tous ceux qui rêvent de devenir champions olympiques de natation, de water-polo, de nage synchronisée ou de plongeon !

Solutions à la page 194

pourquoi?
pourquoi?

VOUS VOUS ÊTES PEUT-ÊTRE DÉJÀ POSÉ CES QUESTIONS...

Pourquoi certaines personnes se font-elles piquer par les insectes et d'autres pas?

- Peut-être que les insectes voient à travers notre peau et que certains sangs sont d'un rouge plus attrayant que les autres, un peu comme quand vous choisissez des fraises...

- Peut-être qu'il y a des gens qui ont la couenne trop dure (la peau trop épaisse)...

- Peut-être parce que certaines personnes n'ont jamais fait de mal à une mouche et que les insectes savent ces choses-là...

- Peut-être qu'il y a des gens qui se font piquer, mais qui ne s'en rendent jamais compte, vu qu'ils sont insensibles à la douleur ou quelque chose du genre... alors on croit que les insectes les évitent.

- Peut-être parce que les insectes sont trop occupés pour pouvoir piquer tout le monde...

À bien y penser, c'est peut-être comme pour cette chronique. Certains la lisent, d'autres pas, allez savoir pourquoi...

Pourquoi fabrique-t-on du papier de toilette rose ou blanc, mais pas d'une autre couleur?

• Peut-être parce que le rose est moins salissant que les autres teintes...

• Peut-être parce que les gens aiment voir la vie en rose et blanc...

• Peut-être parce que ces couleurs coûtent moins cher à produire que le mauve à pois jaunes, par exemple...

• Peut-être parce que le papier rose donne un joli teint rosé aux fesses...

• Peut-être parce que les fabricants de papier hygiénique sont de grands romantiques...

À bien y penser, c'est peut-être parce que ces couleurs sont celles qui évoquent le plus la délicatesse et que nous recherchons ce qui est le plus doux pour nos foufounes...

Pourquoi n'y a-t-il pas de nourriture pour chats à la souris?

• Peut-être parce que les chats préfèrent la chasse sportive et que courir après des boîtes de conserve n'offre aucun défi...

• Peut-être parce qu'on a besoin des souris pour faire peur aux éléphants...

• Peut-être parce que c'est plus difficile d'attraper une souris qu'un bœuf...

• Peut-être tout simplement parce que les souris ne veulent pas...

• Peut-être parce que, quand on a testé le pâté de souris auprès des chats, ils ont trouvé que ça goûtait le poulet...

À bien y penser, c'est peut-être parce qu'il faudrait beaucoup trop de souris pour que l'entreprise soit rentable...

La réflexion de Léon

Est-ce qu'un vélo peut perdre les pédales, des fois ?

La vie «groovie» d' Annie

SECRETS

En tournant cette page, vous entrerez dans un monde secret, mais attention, pas n'importe lequel, celui d'Annie Groovie !

Mes deux semaines au CANADIAN ADVENTURE CAMP, un camp de gymnastique situé en Ontario

Je suis allée une seule fois dans un camp de vacances, à l'âge de 15 ans, mais croyez-moi, j'en ai profité au maximum. C'était en 1985, il y a déjà 25 ans de cela ! Oui, ça fait longtemps, mais comme les meilleurs moments de notre vie restent marqués à jamais dans notre mémoire, mémère Groovie peut encore aujourd'hui vous raconter ce qui s'est passé cet été-là.

J'ai été fascinée par la performance de Nadia Comaneci aux Olympiques de 1976 et, par la suite, la gymnastique est devenue mon sport favori. Quelle athlète, cette Nadia ! Ce n'est pas pour rien qu'on l'a surnommée « la reine des Jeux ». Je me suis mise aussitôt à l'imiter en faisant des « steppettes » un peu partout dans la maison et sur le gazon. J'étais tellement motivée que mon père m'a fabriqué une barre asymétrique et un minitrampoline. Wow ! Je trippais fort, comme on dit !

Par la suite, mes parents m'ont inscrite à des cours de gymnastique où j'ai fait la rencontre de ma meilleure amie, Isabelle. C'est elle qui m'a parlé d'un camp de vacances spécialisé en gymnastique. Je peux vous dire que ça n'a pas été très difficile de me convaincre d'y aller. Imaginez : partir en vacances avec votre meilleure amie pour pratiquer votre sport préféré...

Que demander de mieux !

Comme le camp se trouvait à l'extérieur du Québec, en Ontario, ça me donnait aussi l'occasion d'apprendre l'anglais. (Entre vous et moi, cet argument a surtout servi à convaincre mes parents de m'y envoyer...) De plus, ça tombait bien, car cet été-là mon frère aîné, Jacques, et l'un de ses amis avaient prévu aller à Vancouver en voiture : ils allaient donc pouvoir nous déposer à Toronto en chemin. Génial !

Nous sommes donc partis tous les quatre dans une voiture à peine plus grande qu'un bobsleigh. Isabelle et moi, nous étions tassées comme des sardines à l'arrière, à travers tout le stock de voyage de mon frère et de son ami. La photo ci-dessous montre bien la situation...

Après six heures de torture sans bouger (ou à peine, tellement nous étions à l'étroit), nous sommes enfin arrivés à Toronto. Mais le voyage ne se terminait pas là...

Le lendemain matin, un autobus nous attendait, Isabelle et moi, afin de nous transporter jusqu'au lac Temagami, où se trouvait le camp de vacances. Nous avons donc dû nous taper un autre cinq heures de route pour nous rendre à bon port, ou presque, car il restait une dernière étape : traverser le lac en bateau pour finalement débarquer sur l'île où était le camp. C'était une petite île charmante, bordée de beaux grands arbres et entourée d'un lac immense, superbe.

À notre arrivée sur l'île, de gentils animateurs nous ont accueillies, dont Sue, notre monitrice attitrée. Elle nous a fait visiter un peu les lieux, puis nous a montré la cabine où nous allions dormir.

Coup de chance, Isabelle et moi partagions le même dortoir ! Yé ! Disons que ça commençait plutôt bien.

C'est moi !

Mais ce que nous avions vraiment hâte de voir, plus que tout le reste, était la fameuse palestre de gymnastique, où nous allions nous entraîner pendant ces deux semaines. Eh bien, nous n'avons pas été déçues ! Elle était largement à la hauteur de nos attentes : immense, bien équipée et... dehors ! Oui, oui, une palestre en plein air ! La première journée en fut donc une de rencontre avec les nouveaux vacanciers et de découverte des lieux. Ce soir-là, nous ne nous sommes pas couchées très tard, épuisées par tout ce voyagement et par tant d'émotions.

Même si nous devions nous lever très tôt le matin (7h30), je me sentais en pleine forme, car chaque journée commençait par des cours de gymnastique : quatre heures de pur plaisir... et de travail intense. Avec de gros tapis, des poutres de toutes les hauteurs, des trampolines et tous les autres appareils de gymnastique, la palestre contenait tout ce qu'il fallait pour s'amuser pendant des heures, sans se tanner. Il y avait aussi une grande fosse, creusée à même le sol et remplie de morceaux de mousse, dans laquelle on se laissait tomber après une séquence de mou-

vements aériens. Vraiment cool ! Sans oublier le fameux tapis de sol bleu sous lequel se cachaient plein de petits ressorts qui nous faisaient rebondir très haut lorsqu'on exécutait des acrobaties : rondades, flics-flacs, saltos arrière... Youhou ! Imaginez : flotter dans les airs... cette sensation est tellement agréable ! C'était un camp où on allait pour s'éclater, mais aussi pour apprendre plein de nouveaux trucs. Je me suis donc beaucoup améliorée en peu de temps.

Après chaque séance de gym, nous dévorions un dîner bien mérité puis, selon les jours, nous participions à un atelier de bricolage ou à une activité sportive. Comme le camp se trouvait sur une île, c'était le site idéal pour pratiquer des sports nautiques comme le kayak, le canoë, le pédalo ou le ski...

Parlant de ski nautique, c'est là que j'ai eu l'occasion d'en faire pour la première fois de ma vie. Et quelle initiation ! Je vous raconte : alors que j'observais les autres passer devant moi, j'ai vite constaté que faire du ski nautique n'était pas aussi facile que ça en avait l'air. Juste sortir de l'eau semblait tout un défi ! Puis, à mon tour, à force d'entendre les moniteurs répéter les mêmes conseils, j'ai réussi à y arriver. Fiou... La fierté et un moteur de 150 forces me transportaient. Puis, soudainement, peut-être parce que j'étais trop confiante, j'ai fait un faux mouvement qui m'a déséquilibrée. Résultat : je me suis retrouvée tête première, à plat ventre sur l'eau... Orgueilleuse, je ne pensais qu'à une chose : me relever ! Et j'essayais ! Sauf que, pendant ce temps-là, l'eau me rentrait dans le nez, dans la bouche, dans les oreilles... partout ! Ouch... C'est à ce moment qu'Isabelle m'a crié : « LÂ-CHE LA POI-GNÉE ! » Je ne suis pas une lâcheuse, mais là, je me suis résignée à laisser le bateau continuer sans moi. Fallait être là...

Mis à part cette petite mésaventure, les journées se terminaient généralement bien, autour d'un gros feu de camp où tous les vacanciers réunis en cercle chantaient en chœur, en français, en anglais... et en franglais, c'est-à-dire dans un mélange des deux langues.

Ah, oui, j'ai oublié de vous dire un secret. J'imagine que je ne suis pas la seule à qui c'est arrivé pendant un camp de vacances... Je suis tombée en amour avec un moniteur. Eh oui ! Évidemment, lui ne s'intéressait pas à moi. Un classique. Tenez, regardez, c'est lui sur la photo avec moi. Avec du recul, j'avoue que je ne sais pas trop ce que je lui trouvais !

En résumé, ces deux semaines ont passé à une vitesse folle. Comme quoi, quand on a du plaisir, le temps file toujours plus rapidement. Je me suis bien amusée, mais j'avoue que je n'ai pas tellement pratiqué mon anglais... (Désolée, papa et maman !) Je comprenais cette langue mais, étant très timide, je n'osais pas trop m'aventurer à la parler. Ce qui fait que j'ai surtout tissé des liens avec les quelques francophones présents. Il faut dire que la compagnie de ma meilleure amie ne favorisait pas vraiment les échanges avec d'autres personnes...

Si jamais vous allez dans un camp de vacances cet été, je vous souhaite de vous amuser autant que moi. Et si vous avez peur de vous ennuyer, apportez ce livre avec vous. Il vous changera assurément les idées ! Bon été !

Au cas où ce camp de vacances vous tenterait : www.canadianadventurecamp.com

TRUCS PRATICO-PRATIQUES

COMMENT ÉLOIGNER LES SAPRÉES GUÊPES

QUOI DE PLUS AGAÇANT QUE DE SE FAIRE ATTAQUER PAR DES GUÊPES, SURTOUT QUAND ON MANGE! VOICI DONC QUELQUES TRUCS POUR LES ÉLOIGNER :

DÉPOSEZ SUR LA TABLE UNE BRANCHE DE PLANT DE TOMATE, DES CLOUS DE GIROFLE ÉCRASÉS OU DU CAFÉ MOULU DANS UN PETIT BOL. VOUS POUVEZ AUSSI ALLUMER DES BOUGIES PARFUMÉES OU UN BÂTON D'ENCENS. DANS TOUS CES CAS, L'ODEUR OU LA FUMÉE REPOUSSERONT LES GUÊPES.

SINON, VOUS POUVEZ AUSSI LES ATTIRER (LOIN DE VOUS. . .) AVEC DE LA NOURRITURE SUCRÉE. DÉPOSEZ UNE ASSIETTE SUR LE SOL, À QUELQUES MÈTRES DE LA TABLE, OÙ VOUS AUREZ MIS DES MORCEAUX DE FRUITS, DU JUS, DE L'EAU SUCRÉE OU UNE BOISSON GAZEUSE. ELLES EN RAFFOLERONT, ET CELA LES TIENDRA BIEN OCCUPÉES!

ENFIN, ÉVITEZ DE PORTER DES VÊTEMENTS RAYÉS. . . ON NE SAIT JAMAIS!

VOS CHIPS NE CROUSTILLENT PLUS ?

PARFOIS, QUAND IL FAIT TRÈS CHAUD ET HUMIDE, L'ÉTÉ, IL ARRIVE QUE LES CHIPS DEVIENNENT MOLLES. POUR LES GARDER FRAÎCHES ET CROUSTILLANTES, PLACEZ-LES AU CONGÉLATEUR. EN PLUS, L'ÉTÉ, ÇA RAFRAÎCHIT!

MALHEUR, VOUS VENEZ D'ÉCHAPPER UN TOUT PETIT OBJET SUR LE TAPIS. . .

PAS DE PANIQUE! POUR LE RETROUVER, IL SUFFIT D'ENFILER UN BAS DE NYLON AU BOUT D'UN BOYAU D'ASPIRATEUR ET D'ACTIONNER L'APPAREIL. QU'IL S'AGISSE D'UN VERRE DE CONTACT, D'UNE BOUCLE D'OREILLE OU DE VOTRE PREMIÈRE DENT DE BÉBÉ, VOUS DEVRIEZ LES RÉCUPÉRER EN MOINS DE DEUX. TADAM !

Elle est bonne !

Deux chenilles discutent :
« Moi, plus tard, je serai un papillon !
— Tu es chanceuse de savoir ce que tu veux faire !
Moi, je ne sais pas encore... »

Un caneton s'amuse dans la mare avec ses amis
quand il entend sa mère l'appeler...
« Désolé, les amis ! Je dois partir.
— Pourquoi ? On s'amusait bien...
— Je dois aller prendre mon bain. »

Papa crabe :
« Préparez-vous, les enfants : aujourd'hui, on va
à la plage !
— Ah, non... Pas encore ! »

Une mère demande à sa fille :
« La fin de semaine prochaine, aimerais-tu aller
camper avec ton oncle ?
— Je préférerais y aller avec ma tente...
— Ha ! Très drôle... »

« Papa ! Où est la rallonge électrique ?

— Pour quoi faire ?

— Maman m'a dit d'aller jouer dehors.

— Quel rapport ?

— Ben, j'étais en train de jouer avec ma console de jeux... »

Une bande d'oiseaux contemplent un cerf-volant qui virevolte dans le ciel.

« Quel drôle d'oiseau... En tout cas, il a l'air de bien s'amuser ! dit l'un d'eux.

— Moi, je ne voudrais pas être à sa place ! dit un autre.

— Pourquoi ?

— Parce que sa vie ne tient qu'à un fil. »

Le petit clown revient de l'école des clowns.

Sa maman lui demande :

« Alors, Pifpaf, tu t'es bien amusé aujourd'hui ?

— Bof... Notre prof de mathématiques nous a appris à compter des blagues... »

Deux amies regardent un film de vampires...

« Il y a un truc que je ne comprends pas...

— Quoi ?

— Ben, les vampires sont toujours très élégants.

— Oui... et ?

— Mais comment ils font, sans miroir ? »

Le Métier Super Cool

Astronome

Robert Lamontagne

Il vous arrive de lever les yeux vers le ciel quand vous êtes dans la lune ? Les étoiles, le Soleil, les planètes, c'est fascinant, non ? Et pas juste quand on a envie de rêvasser. Pour certains, observer l'univers, c'est un métier. Voici ce que Robert Lamontagne, astronome et spécialiste du ciel, nous raconte sur le sujet.

EN QUOI CONSISTE EXACTEMENT LE MÉTIER D'ASTRONOME ?

L'astronomie, c'est la science qui consiste à observer le ciel et tout ce qu'il comprend, c'est-à-dire les étoiles (dont le Soleil), les planètes, la Lune et tous les phénomènes qui se produisent entre ces éléments. Les astronomes essaient d'interpréter les changements qu'ils voient là-haut. Il s'agit d'un milieu scientifique très particulier, puisqu'on ne peut pas vraiment réaliser d'expériences en laboratoire, comme en font les chimistes, par exemple. Notre laboratoire, c'est l'univers tout entier ! Il faut attendre qu'il s'y passe quelque chose, ou qu'une personne y découvre un objet jamais vu auparavant, pour ensuite interpréter cette nouvelle information. C'est un travail d'observation.

CONCRÈTEMENT, À QUOI ÇA SERT ?

Il y a plusieurs centaines d'années, l'astronomie était une science très pratique dont on se servait tous les jours. C'est à partir de ce qu'on voyait dans le ciel qu'on pouvait mesurer le temps, c'est-à-dire calculer les saisons, les mois, les jours et même les heures ! Les agriculteurs étaient en quelque sorte eux-mêmes des astronomes, puisqu'ils se laissaient guider par le ciel pour savoir à quel moment faire les semences ou les récoltes. Lorsqu'ils voyaient la constellation du Lion se lever à l'horizon, par exemple, ils savaient que le printemps allait bientôt arriver.

Et savez-vous pourquoi une semaine compte sept jours ? C'est parce que nos ancêtres voyaient sept objets brillants au-dessus de leur tête : les planètes Mercure, Vénus, Mars, Jupiter et Saturne, ainsi que la Lune et le Soleil. Ils ont donc nommé les jours de la semaine d'après ces objets : lundi pour la Lune, mardi pour Mars, mercredi pour Mercure, jeudi pour Jupiter, vendredi pour Vénus, samedi pour Saturne et dimanche pour... le Soleil ! Où est le lien ? Pensez à dimanche en anglais : on dit « SUNDAY », ce qui signifie « le jour du Soleil » ! Intéressant, non ?

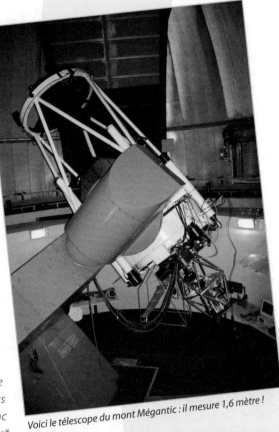

Les étoiles et les planètes servaient également de points de repère durant les voyages, autant sur la mer que sur la terre. Les GPS* n'existaient pas encore à cette époque ! Il fallait donc savoir reconnaître les constellations* pour pouvoir s'orienter.

Voici le télescope du mont Mégantic : il mesure 1,6 mètre !

* GPS (géo-positionnement par satellite) : instrument électronique fonctionnant à l'aide d'un satellite qui permet de savoir précisément où l'on se situe géographiquement.
* Constellation : ensemble d'étoiles reliées par des lignes imaginaires.

Aujourd'hui, nous n'avons plus besoin de nous laisser guider par les étoiles ou d'observer les constellations pour savoir quel jour nous sommes. Les calendriers sont bien pratiques! L'astronomie continue pourtant d'être utile : découvrir une nouvelle planète ne changera pas le goût du beurre d'arachide sur nos rôties le matin, mais ça permet de prendre conscience de la place minuscule qu'occupe la Terre dans l'univers. Et puis, en constatant à quel point nous sommes petits, nous sommes amenés à croire qu'il y a sûrement d'autres formes de vie quelque part dans le vaste univers… Par ailleurs, les photos satellites et les visites dans l'espace permettent aux scientifiques d'observer la Terre d'un autre point de vue, c'est-à-dire de l'extérieur, et d'y voir, par exemple, les effets des changements du climat sur notre environnement.

POURQUOI ROBERT A-T-IL VOULU DEVENIR ASTRONOME ?

Il avait 12 ans lorsque le premier homme a marché sur la Lune. Pendant sa jeunesse, tout le monde parlait de la conquête de l'espace. C'est difficile de comprendre aujourd'hui pourquoi ça semblait si fascinant, car nous nous sommes habitués aux voyages dans l'espace qui ont lieu chaque année. Mais dans ce temps-là, c'était un exploit, une première dans toute l'histoire de l'humanité ! La plupart des jeunes garçons rêvaient de faire ce métier… Être astronaute, c'était la chose la plus cool du monde ! Dès l'âge de 12 ans, Robert a su qu'il voulait passer sa vie à observer l'univers, et comme très peu de gens sont choisis pour devenir astronautes, il a décidé qu'il commencerait par étudier le ciel en devenant astronome.

QUELLES ÉTUDES DOIT-ON FAIRE POUR PRATIQUER CE MÉTIER ?

Pour devenir astronome, on doit poursuivre ses études longtemps après avoir terminé l'école secondaire. Ça demande un minimum de 10 ans d'université ! C'est un processus assez long, quoi. Malgré ça, Robert ne s'est pas ennuyé une seconde pendant son parcours scolaire. Dès qu'il l'a entrepris, il a pu toucher à différentes facettes de l'astronomie. Il a occupé des emplois d'été dans ce milieu et a pu faire ses propres observations durant ses temps libres. Il n'avait donc pas toujours le nez dans ses livres. Il ne faut pas croire que c'est seulement à la fin de ses études qu'on devient astronome : ça se fait petit à petit, un peu plus chaque année, grâce aux expériences qu'on accumule.

QU'EST-CE QU'IL TROUVE LE PLUS COOL DANS CE TRAVAIL ?

Robert s'amuse tout le temps dans son boulot. Il se lève le lundi matin et il est content de s'en aller au travail. Il fait ce qu'il a toujours rêvé de faire et, en plus, il est payé pour ça ! Il voulait devenir astronome, et il y est parvenu. C'est ça qu'il trouve le plus cool. Une autre chose qui lui plaît beaucoup, c'est que son métier l'amène à voyager, puisque les observatoires* ne sont pas tous au Canada. Il doit souvent se rendre dans des endroits très exotiques pour utiliser

* Observatoire : poste d'où l'on peut observer le ciel, situé généralement dans un endroit plus haut que le niveau de la mer (souvent en montagne).

les immenses télescopes qui y sont installés, comme aux îles Canaries, à Hawaï ou encore dans la cordillère des Andes, une chaîne de montagnes du Chili. Ça lui permet de découvrir des lieux magnifiques qu'il n'aurait peut-être jamais eu la chance de visiter autrement. Comme dit un de ses amis, « ce qui est le fun avec l'astronomie, c'est qu'on peut explorer l'univers et découvrir le monde en même temps ! »

C'est dans cet observatoire du mont Mégantic que Robert fait plusieurs de ses observations.

QUELLES SONT LES QUALITÉS NÉCESSAIRES POUR QU'ON SOIT UN BON ASTRONOME ?

Comme dans beaucoup d'autres métiers, le secret pour réussir, c'est la persévérance. Il faut évidemment avoir un certain intérêt pour les sciences*, mais il n'est pas nécessaire d'être le meilleur de la classe en mathématiques ou en physique. C'est important d'avoir un esprit vif, éveillé et d'être capable de résoudre toutes sortes de problèmes. Mais surtout, il faut être prêt à s'investir dans de longues études qui sont super intéressantes, mais parfois difficiles.

EST-CE QU'IL Y A BEAUCOUP D'EMPLOIS POUR LES ASTRONOMES ?

Tout à fait ! Robert ne connaît pas un astronome qui chôme. Des études en astronomie peuvent mener au travail d'ingénieur ou de professeur (comme dans le cas de Robert), ou encore à des emplois plus rigolos reliés au monde du jeu vidéo, par exemple. Eh oui, certains anciens étudiants de Robert ont été engagés dans une boîte de conception de jeux vidéo ! Leur travail consiste à tester les jeux et à les rendre plus réalistes sur le plan graphique. Que ce soit pour améliorer les scènes de course automobile ou celles d'exploration de l'espace, les notions acquises durant des études en astronomie permettent de bien comprendre la mécanique de ces environnements. Quelqu'un qui n'a pas de notions de physique ne saisira pas l'effet du vent sur une voiture qui roule à toute vitesse ; une personne qui a étudié en astronomie, elle, le comprendra. Ça doit quand même être chouette d'entrer au bureau et de jouer à des jeux toute la journée !

* Sciences : ensemble des connaissances en lien avec les mathématiques, la chimie, la physique et la biologie.

Limonade à l'orange et au citron

Préparation : 15 minutes
Quantité : de 6 à 8 verres

Vous aurez besoin de :

- 3 grosses oranges à jus (sans pépins)

- 2 citrons

- 1 presse-citron

- 4 tasses d'eau

- 1/3 tasse de sucre (ou plus, selon les goûts...)

- 1 pot à jus

1) Couper les oranges et les citrons en deux (dans le sens le moins long , entre les deux extrémités) et en extraire le jus avec le presse-citron.

2) Mélanger tous les ingrédients ensemble dans le pot à jus.

3) Décorer avec des tranches de citron et d'orange. Bien brasser avant de servir.

4) Boire !

Popsicles au yogourt et aux fruits

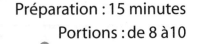

Préparation : 15 minutes
Portions : de 8 à 10

Vous aurez besoin de :

• 2 tasses de yogourt nature

• 3/4 tasse de jus de fruits concentré, congelé
(choisissez votre saveur préférée)

• 1/2 tasse de sucre

• 1 mélangeur

• Moules à popsicles

1) Déposer tous les ingrédients dans le mélangeur, puis le faire fonctionner jusqu'à l'obtention d'une préparation homogène.

2) Verser dans les moules et congeler au moins quatre heures.

3) Déguster !

Le tour est joué!

**Voici de bonnes idées de tours à jouer à vos parents et amis...
car il n'y a rien de tel que de taquiner ceux qu'on aime !**

1. Attention, on commence fort. Vous êtes chez un nouvel ami qui vous invite à souper. Sagement, vous appelez votre mère pour lui demander la permission. Elle voudra probablement parler à la mère de votre ami, pour s'assurer que tout est correct. Prévenez votre mère : « Il faut parler très, très fort, parce que Mme... (Groovie, mettons) est presque sourde... » Avant de lui passer le téléphone, dites la même chose à la mère de votre ami... Lui, mettez-le dans le coup d'avance, pour qu'il confirme vos dires au moment où vous préviendrez sa mère. Facile... Et pas de quoi se faire tirer les oreilles !

2. S'il y a une plante verte avec de grandes feuilles chez vous, profitez-en. Prenez un cure-pipe noir ou brun et coupez-le en sections d'environ 5 cm chacune. Quelles ravissantes petites chenilles ! Déposez-les bien en vue sur des feuilles où elles tiennent facilement (pas de colle, hein, c'est mauvais pour les plantes). Je vous souhaite d'être à la maison quand quelqu'un remarquera leur présence...

3. Une de vos dents est tombée, et vos parents ont l'habitude, quand ça arrive, de mettre celles que vous avez perdues sous votre oreiller à l'heure du dodo pour que la fée des dents (ou la petite souris) vienne les échanger pendant la nuit contre un peu de monnaie ? C'est l'occasion rêvée de leur jouer un tour ! Une fois qu'ils vous auront dit bonne nuit et que vous serez seul dans votre chambre, enlevez votre dent de sous l'oreiller et mettez-y vous-même quelques sous ou, encore mieux, un bonbon. Fée ou souris, peu importe, quelqu'un cette nuit-là sera bien surpris...

Trucs de séduction
pour **FILLES** et **GARÇONS**

AVERTISSEMENT : *Ces trucs de séduction sont en fait des conseils et ne sont pas nécessairement infaillibles. Ils peuvent être ultra-efficaces pour vous... ou avoir autant d'effet qu'un pet de mouche dans la production des gaz à effet de serre. Après tout, on ne fait que s'amuser un peu !*

1. Devenez des amis virtuels

Si vous êtes inscrit sur Facebook ou un autre site de ce genre et si la personne qui vous intéresse l'est aussi, faites-lui une demande d'amitié. Vous pourrez alors partager un paquet de choses et voir si vous avez vraiment des goûts en commun. Surtout, restez vous-même : n'allez pas changer votre profil pour qu'il corresponde à celui de l'autre ! Par contre, n'hésitez pas à devenir membre vous aussi du groupe Les adorateurs de la couleur bleue. Ça ne vous engage à rien, et si ça peut vous rapprocher de votre amoureux potentiel...

2. Rapprochez-vous

Le monde virtuel, c'est bien beau, mais il faut être réaliste. Si, à l'école, vous gardez vos distances avec la personne qui vous intéresse parce qu'elle vous intimide, vous n'avez aucune chance de créer un contact. Un peu de courage ! Profitez du dîner, à la cafétéria, pour vous asseoir non loin de lui ou d'elle. Mais respectez la règle d'or : restez vous-même. Si vous n'agissez pas comme un prédateur qui rôde autour de sa proie, personne ne vous traitera comme tel. Même que, avec un peu de chance, on vous refilera peut-être du dessert !

3. Mettez vos atouts en valeur

Vous chantez bien ? Vous jouez au aki comme personne ? Si vous avez un talent particulier, montrez-le. C'est toujours mieux que de s'en vanter et ça fait plus d'effet. Attention, toutefois : vous ne devez pas oublier que vous avez d'autres qualités ! Autrement dit, ne jouez pas au pro. Soyez humble. Ça non plus, ce n'est pas donné à tout le monde.

4. Un peu de discrétion

Parfois, on a le goût de crier son amour sur tous les toits. Retenez-vous. Vous n'êtes pas dans une comédie musicale, à ce que je sache. Que vous vous confiiez à votre meilleur(e) ami(e) et qu'il ou elle répète vos paroles à quelqu'un, passe encore. Ça peut même vous aider. Mais j'espère que vous comprendrez pourquoi il vaut mieux éviter que ce soit le chauffeur de l'autobus qui apprenne à quelqu'un que vous l'aimez.

5. Un peu d'humour...

Rire, ça fait toujours du bien. L'être humain a naturellement tendance à préférer la compagnie des bons vivants à celle des gens tristounets. Si par chance la personne qui vous plaît est un être humain, profitez-en. Vous ne vous trouvez pas spécialement drôle ? Pas besoin d'être un sac à blagues : il suffit de ne pas vous prendre trop au sérieux.

6. Un peu de sérieux, quand même...

Vous n'avez pas toujours le goût de rire, pas vrai ? Attention à ne pas être perçu comme un clown, quelqu'un qui ne prend jamais rien au sérieux. On est content de passer une heure au cirque avec un clown, mais il ne nous viendrait pas nécessairement à l'idée d'aller au cinéma avec lui (ou elle), encore moins de danser un slow...

7. Apprenez à jouer d'un instrument de musique

Ce n'est pas essentiel, mais c'est loin d'être inutile ! En connaissez-vous beaucoup, des gens qui n'aiment pas la musique ou qui n'ont pas envie de savoir jouer d'un instrument ? Bon, ça demande un minimum de discipline, mais vous avez bien réussi à arrêter de vous mettre les doigts dans le nez en public, non ? (Si vous avez répondu non, il vous reste encore beaucoup à apprendre sur l'art de la séduction...). Persévérez, et vous ne regretterez pas vos sacrifices quand votre *band* jouera sur la scène de l'école ou que vous sortirez votre guitare autour d'un feu de camp, devant une certaine personne qui en valait la peine.

8. Essayez sa langue

Du calme, ce n'est pas ce que vous pensez. Si le français n'est pas la langue maternelle de la personne aimée, vous pourriez apprendre quelques mots de la sienne. Ne vous en faites pas. Peu importe à quel point vous massacrerez l'accent, la phrase : « Ouf ! Fait chaud, hein ? », pour peu que vous la prononciez avec votre plus beau sourire, signifiera toujours : « Salut, tu m'intéresses »...

C'EST QUOI LA DIFFÉRENCE ENTRE UNE ABEILLE ET UNE GUÊPE?

L'ABEILLE...

... a le corps velu (ça doit la tenir au chaud!);

... se reconnaît à sa couleur plutôt dorée, pas aussi éclatante que celle de la guêpe;

... est normalement plus courte que la guêpe et légèrement dodue (est-ce que c'est parce qu'elle aime trop le miel?);

... est strictement végétarienne: le miel, le pollen et le nectar composent l'essentiel de son alimentation;

... se sert d'une langue aussi longue que sa tête pour se nourrir;

... ne pique qu'une seule fois dans sa vie, puisqu'elle laisse alors une partie de son abdomen avec son dard, ce qui provoque sa mort;

... construit son nid avec la cire qu'elle sécrète* (parions que les abeilles se font souvent des soupers aux chandelles!);

... vole les pattes pendantes, car c'est plus pratique pour recueillir le pollen;

... fabrique le miel qui est si délicieux sur nos rôties le matin.

LA GUÊPE...

... n'a pas de poils;

... se reconnaît à son jaune vif strié de bandes noires;

... a un long corps très élancé (c'est de là que vient l'expression «avoir une taille de guêpe»!);

... mange d'autres insectes, comme les araignées ou les mouches, et parfois même de la viande;

... se sert de ses dents pour tuer ses proies;

... peut piquer plusieurs fois sans mourir (elle est tenace!);

... construit son nid principalement à l'aide de fibres de bois mastiquées et mouillées par la salive;

... vole avec les pattes collées contre son abdomen;

... tente parfois de s'introduire dans les ruches des abeilles pour leur voler du miel (oui, oui, ce n'est pas une blague!).

Que vous ayez affaire à une abeille ou à une guêpe, il est important de savoir que ni l'une ni l'autre ne vous attaquera à moins de se sentir en danger. Il ne faut pas paniquer! Mais, petit conseil d'ami: n'essayez pas de faire comme la guêpe et d'aller vous introduire sans protection dans une ruche. Disons que vous aurez moins de chances qu'elle de passer incognito!

* Sécréter: produire une substance au moyen de son propre corps.

Légendes québécoises
Alexis le Trotteur

Une légende est une histoire inventée s'inspirant de personnages, d'évènements ou d'endroits réels. Chaque conteur en rajoute un peu, c'est ainsi que la légende grandit... Et tant pis si vous ne me croyez pas!

DANS CE NUMÉRO :

P. 76 à 79
La légende d'Alexis le Trotteur

P. 133 à 137
La légende de Jos Montferrand

P. 179 à 183
La légende du rocher Percé

Alexis le Trotteur

Alexis Lapointe (1860-1924) a vécu au Saguenay. Pauvre, simple d'esprit, pas très joli, il a néanmoins réussi à se faire un nom, et même plusieurs surnoms: Alexis le Trotteur, le Cheval du nord, le Centaure de la Malbaie...

Adolescent, Alexis aimait danser. C'était un « gigueux » infatigable : dans toute la paroisse, personne ne pouvait tenir le rythme aussi longtemps et avec plus d'entrain que lui. Hélas ! Non seulement il était laid à faire peur, mais il ne sentait pas bon, de sorte qu'on l'invitait le moins possible. Je dirais même plus : on l'évitait tant qu'on pouvait ! Par un soir d'hiver où il faisait un froid à ne pas mettre un cheval dehors, quelques-uns des jeunes du village réunirent pourtant leurs carrioles sur la grande place du village. Bravant la froidure, ils partaient veiller chez les Trudel, dans un patelin éloigné. Qui dit veillée dit jeux, contes et danse... aussi Alexis traînait-il dans le coin, l'air intéressé.

Les vieux parents du jeune Lapointe étaient sans le sou, ils ne possédaient ni traîneau ni monture. Leur rejeton ne pouvait donc compter que sur le bon cœur des paroissiens quand venait le temps de voyager sur une distance importante. Pendant que le groupe vérifiait si les attelages étaient bien mis et les couvertures assez nombreuses, Alexis giguait sur place, autant pour se réchauffer que pour montrer à tout le monde qu'il était dans d'excellentes dispositions. Mais les équipages s'ébranlaient et partaient un à un, sans que personne l'invite à monter...

77

Les passagers de la dernière carriole s'excusèrent de ne pouvoir l'amener, faute de place, alors qu'au contraire on aurait très bien pu asseoir le père Noël et Rudolph le renne sur la banquette arrière, tout en laissant en masse d'espace pour les cadeaux. Blessé dans son orgueil, Alexis leur annonça qu'il se rendrait chez les Trudel par ses propres moyens, en courant ! Les jeunes s'éloignèrent sur la route en se moquant de sa vantardise. Piqué au vif, Alexis devint comme fou : il se fouetta lui-même avec une branche et se mit à hennir en piaffant. Puis, il s'élança dans la nuit étoilée, à travers champs et forêts. Sautant les clôtures, traversant les lacs blancs, frôlant sapins et épinettes, évitant les trappes à renard, il fila, libre comme l'air. La contrée était trop sauvage et il faisait trop froid pour qu'il croise qui que ce soit, aussi seuls les animaux furent-ils témoins de sa course incroyable. Même les loups n'osèrent se lancer à la poursuite d'une telle créature, plus rapide qu'un lièvre et hennissant comme un cheval. À des lieues de là, les pensionnaires d'une écurie qui l'entendirent se demandèrent qui ça pouvait bien être... Le percheron des Tremblay ? La jument du docteur Murray ? On dirait qu'elle est enrhumée, non ?

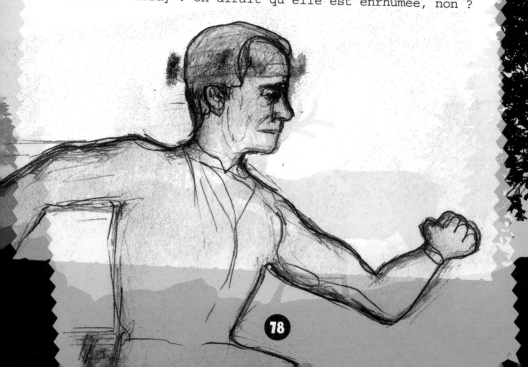

Ce soir-là, Alexis courut 40 km dans la neige, sans s'arrêter. En fait, il serait plus exact de dire 80 km, puisqu'à peine arrivé à sa destination il fut chassé de la maison des Trudel et refit le chemin en sens inverse, en franchissant à nouveau la distance d'une traite, à la course. Mais il ne s'en plaignit pas. Pas trop, en tout cas. Ha ! Il leur avait montré de quoi il était capable ! La tête qu'ils avaient faite ! Peut-être que si Alexis n'avait pas tant fanfaronné devant eux, ils l'auraient mieux accueilli... C'est possible. Ce qui est sûr, c'est que sur le chemin du retour, trottant seul dans l'immensité glacée, le jeune homme était heureux. Conscient de l'exploit surhumain qu'il était en train d'accomplir, il résolut de poursuivre dans cette voie, de courir plus loin et plus vite que n'importe qui avant lui. Désormais, quand quelqu'un le montrerait du doigt, ce serait une légende vivante qu'il désignerait ainsi. Et c'est ce qui arriva.

De son vivant, Alexis le Trotteur a battu à la course tous les hommes, les automobiles, les trains et les chevaux qu'il a affrontés. Devenu une célébrité qu'on invitait volontiers dans les soirées, notre homme a dansé chaque fois qu'il en a eu l'occasion. Quand il est mort, à l'âge de 64 ans, ça faisait déjà un moment que ses jambes ne le portaient plus aussi vite qu'avant, mais les moqueurs étaient encore loin derrière.

Source : *Les grandes légendes québécoises* / Gaston Gendron + mon grain de sel

79

Énigme

Que suis-je ?

J'entretiens un lien très étroit avec les trois mots suivants : grenouille, sandwich et orchestre.

Pensez-y bien, vous trouverez...

Réponse à la page 194

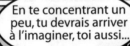

BONHEUR PRESQUE TOTAL

UN MAL POUR UN BIEN

À DEUX, C'EST MIEUX

APRÈS LA PLUIE...

BEAU TEINT...

On dit que le bonheur est simple. Personnellement, je le préfère double !

VOUS ÊTES AMATEURS DE FOOT ?

Si oui, vous savez sans doute que la **Coupe du monde** aura lieu en **Afrique du Sud**, du **11 juin au 11 juillet 2010**. Maintenant, pour en savoir plus sur cette compétition mondiale trèèèèèèèèèès populaire, tournez la page !

Un peu d'histoire

La première Coupe du monde de foot (ou soccer)
a eu lieu en Uruguay, en 1930, et c'est ce pays
qui a gagné. Vous pensez que c'était arrangé ?
Pas du tout. Les Uruguayens, médaillés
d'or aux Olympiques de 1924 et de 1928,
dominaient le soccer mondial. Les Jeux
olympiques étaient LE tournoi international
majeur de l'époque, mais il était réservé
aux amateurs. C'est le Français Jules Rimet,
président de la Fédération internationale de
foot, qui a alors suggéré la création d'un autre
tournoi. Depuis, la Coupe du monde (ou le Mondial)
réunit l'élite de ce sport tous les quatre ans. Les joueurs
professionnels comme Messi, Kaka, Rooney et Ronaldo
défendent les couleurs de leurs pays respectifs pendant les qualifications,
qui se déroulent partout dans le monde. Le tournoi final oppose les
32 nations qui ont franchi victorieusement les étapes éliminatoires.

Le tournoi

Les 32 pays seront répartis en 8 groupes de 4 équipes.
Entre parenthèses sont inscrits les noms des joueurs à surveiller.

Groupe A : Afrique du Sud, Mexique, Uruguay, France (Anelka).

Groupe B : Argentine (Messi), Nigeria (Mikel), Corée du Sud (Park), Grèce.

Groupe C : Angleterre (Rooney), États-Unis, Algérie (Ziani), Slovénie.

Groupe D : Allemagne (Ballack), Australie, Serbie, Ghana (Essien).

Groupe E : Pays-Bas (Van Persie), Danemark, Japon, Cameroun (Eto'o).

Groupe F : Italie (Buffon), Paraguay, Nouvelle-Zélande, Slovaquie.

Groupe G : Brésil (Kaka), Corée du Nord, Côte-d'Ivoire (Drogba), Portugal (Ronaldo).

Groupe H : Espagne (Torres), Suisse, Honduras, Chili.

Environ quatre milliards de téléspectateurs surveilleront tout particulièrement
l'Italie, championne en titre, de même que le Brésil (historiquement la
meilleure nation, avec cinq coupes), l'Allemagne, le Portugal, la Côte-d'Ivoire
et les Pays-Bas. L'Espagne a gagné tous ses matchs de qualifications.
Je miserais deux caramels mous sur elle. L'Italie et la France se sont
qualifiées de peine et de misère, mais ce sont deux grandes
puissances du football.

Connaissez-vous l'Afrique du Sud ?

C'est un pays situé, comme son nom l'indique, à l'extrémité sud du continent africain. L'Afrique du Sud sera le premier pays africain à accueillir la Coupe du monde. Les matchs se joueront dans plusieurs stades dont celui-ci, le Mbombela, supporté par 18 piliers en forme de girafes et construit exprès pour ce célèbre événement.

Et le Canada dans tout ça ?

Si, au hockey, l'équipe canadienne est redoutable, au soccer, c'est une autre histoire. La seule participation des Canadiens au tournoi final de la Coupe du monde remonte à 1986. Cette année, le Canada a été éliminé pendant la ronde des qualifications. Il a fini dernier d'un groupe composé du Mexique, du Honduras et de la Jamaïque. Cela dit, le Canada a été le pays hôte de la Coupe du monde junior en 2007. On n'est peut-être pas les meilleurs, mais on sait recevoir !

ILLUSIONS d'OPTIQUE

a.

b.

ReGarDez bien Ces trois Carrés...

Sont-ils De la même DimensiOn ?

Le pOint rOuGe est-il Centré Dans la flèche ?

Lequel Des Deux Cercles Du milieu est le plus GranD ?

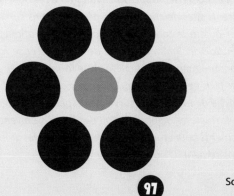

Solutions à la page 194

Le Métier Super Cool

Agent de protection de la faune

Alain Riou

Vous aimeriez pouvoir jouer dehors toute votre vie ? Vous êtes des passionnés de la nature ? Eh bien, il existe un travail tout désigné pour vous ! Devenir agent de protection de la faune vous permettrait de côtoyer autant les animaux que les humains, en pleine nature, à longueur d'année ! Pour découvrir ce métier super cool, lisez ce qu'Alain Riou a à dire sur son travail.

EN QUOI CONSISTE SON MÉTIER ?

L'agent de protection de la faune veille à protéger les espèces animales et végétales sauvages. Il est un peu comme un policier chargé d'assurer la sécurité des animaux, des arbres et des plantes. Il y a plusieurs années, on l'appelait plutôt garde-chasse ou garde-pêche, étant donné que sa fonction principale était de superviser tout ce qui avait trait à ces activités. Aujourd'hui, les agents patrouillent les différents sites de chasse et de pêche compris sur le territoire dont ils sont responsables et veillent à ce que toutes les personnes qui pratiquent ces loisirs se conforment aux lois établies. Parfois, ils infiltrent même des groupes et se font passer pour des chasseurs, comme un policier qui mène une enquête en se faisant passer pour un citoyen ordinaire. En plus de superviser tout ce qui a rapport avec ces deux activités, les agents de protection de la faune ont la tâche de favoriser la survie des espèces menacées, par exemple certaines couleuvres, certaines tortues, les bélugas et l'ail des bois. Ils doivent donc s'assurer que les gens respectent les règlements pour empêcher que les plantes et les animaux en danger d'extinction disparaissent complètement de notre environnement.

QU'EST-CE QU'ALAIN TROUVE LE PLUS COOL DANS SON MÉTIER ?

Il adore travailler au grand air. Et puis, il est payé pour exercer une activité que d'autres font pour leurs loisirs et qui leur coûte des sous. C'est génial ! Depuis qu'il est tout petit, il adore la chasse et la pêche, donc le métier d'agent de protection de la faune est idéal pour lui. De plus, contrairement au travail du policier, où il y a beaucoup de spécialités, celui de l'agent de la faune est très diversifié : il comprend des activités de patrouilleur, d'enquêteur et d'éducateur. Grâce à cette variété, Alain fait rarement la même chose d'une journée à l'autre.

EST-CE QUE LES AGENTS FONT DES PIQUE-NIQUES PENDANT LEURS HEURES DE TRAVAIL ?

Oui ! Et c'est très amusant. Au moins deux fois par hiver, Alain et ses collègues apportent avec eux, durant leurs patrouilles en motoneige, le nécessaire pour se faire cuire des hot-dogs. Ils se fixent un point de rencontre vers midi sur un cours d'eau gelé et y font un feu sur lequel ils grillent leurs saucisses, avant de déguster tranquillement leur lunch entre amis. Plutôt chouette comme heure de dîner !

QUELLES SONT LES QUALITÉS INDISPENSABLES POUR QU'ON DEVIENNE AGENT DE PROTECTION DE LA FAUNE ?

D'abord, il faut aimer la nature et les animaux, ça va de soi. Puis, on doit avoir un bon sens de l'observation et savoir rester calme en toute circonstance, même si les arrestations sont parfois difficiles. C'est important de respecter la personne qui est devant soi, même si elle vient de commettre un délit. De plus, être en superforme est un gros atout, puisque c'est un métier exigeant sur le plan physique : les agents sont toujours dehors, ils marchent beaucoup, se promènent en canot, en vélo, etc. Pour devenir agent, on doit subir un test qui évalue notre endurance et notre force. Malheureusement, c'est à cette étape que plusieurs candidats sont refusés parce qu'ils ne sont pas assez en forme.

Voilà Alain en train de patrouiller sur le lac des Écorces, dans la municipalité de Barkmere.

A-T-IL DÉJÀ EU À SE DÉFENDRE CONTRE UN ANIMAL?

Non, et Alain est convaincu d'une chose: les animaux ne sont pas dangereux à moins qu'ils ne soient malades. Et souvent, ce ne sont pas ceux dont on a le plus peur qui sont réellement à craindre… Savez-vous, par exemple, de quel animal on devrait se méfier? De la gélinotte huppée*! Les femelles qui protègent leurs petits sont beaucoup plus agressives qu'un ours!

Sur le lac Rossignol, dans les Laurentides, Alain a dû endormir ce jeune orignal qui était malade.

QUELLES ÉTUDES DOIT-ON FAIRE POUR POUVOIR EXERCER CE MÉTIER?

Pour le moment, seules des études secondaires accompagnées du cours en protection de la faune (DEP) et d'une bonne connaissance générale du milieu de la chasse et de la pêche sont requises. Toutefois, les critères de sélection sont beaucoup plus exigeants qu'autrefois. Alain recommande donc à ceux qui voudraient pratiquer ce métier de faire des études collégiales soit en environnement, soit en techniques policières, question d'accumuler le plus de connaissances possible.

* Gélinotte huppée: oiseau qui ressemble à une petite poule et qu'on appelle aussi perdrix.

100

ENFIN, POURQUOI DIT-ON QU'IL NE FAUT PAS APPRIVOISER LES ANIMAUX SAUVAGES ?

Pour répondre à cette question, voici une petite anecdote qu'Alain a racontée :

« Il y a quelques années, nous avons reçu une plainte très étrange. Une dame nous disait qu'un chevreuil s'était mis à courir après son fils et qu'il était parti avec son sac à dos ! Nous avons dit à la dame de nous rappeler si l'animal revenait, mais je dois avouer que nous ne l'avons pas prise trop au sérieux tellement ce qu'elle disait était bizarre. Un chevreuil agressif, c'est impossible !

« Un peu plus tard, nous avons reçu une deuxième plainte du même genre : une femme nous a annoncé que son mari s'était fait poursuivre par un chevreuil alors qu'ils étaient tous les deux en train d'installer des lumières de Noël. J'ai commencé à trouver ça inquiétant… Après avoir reçu une troisième plainte semblable — tous les appels provenaient du même rayon de quatre kilomètres —, des agents sont partis faire une vérification sur le terrain. Ce n'était vraiment pas normal !

« Avant que nous puissions repérer l'animal, ce dernier s'est fait renverser par une voiture. Il était très blessé, mais essayait encore de foncer sur les hommes qui l'approchaient. Du jamais vu ! Nous avons dû l'abattre. Un de mes collègues, en regardant le chevreuil de plus près, l'a reconnu. Il s'agissait d'un jeune mâle qui avait été rescapé par une famille d'agriculteurs lorsqu'il était tout petit. Il était resté sur la ferme pendant quelques années et avait été apprivoisé. Lorsqu'on apprivoise un animal sauvage, il en vient à s'associer aux humains en pensant qu'il fait partie de la même famille qu'eux. Or, les chevreuils ont l'habitude, en période d'accouplement, de repousser tous les autres mâles pour les garder loin des femelles. C'est ce que ce jeune chevreuil était en train de faire : il s'en prenait aux hommes, croyant qu'ils étaient de son espèce ! C'est pourquoi il avait un comportement aussi agressif.

Alain est aussi un chasseur : voici une des prises qu'il a faites à l'hiver 2007.

« Ça montre à quel point l'équilibre de la nature est fragile, et ça prouve qu'il ne faut pas habituer les animaux sauvages à vivre de la même façon que nous. »

Saviez-vous ça ?

Chaque ville et même chaque arrondissement d'une ville a ses propres lois et règlements. À Montréal, par exemple, il est interdit de nourrir les animaux sauvages comme les pigeons, les goélands, les écureuils, les mouffettes ou les ratons laveurs. Pas question de leur donner des pinottes ni de petites miettes de pain! Sinon, ce sera considéré comme une infraction à la loi, et vous pourriez même devoir payer pour ça. Combien?

Selon les arrondissements ou les villes, l'amende minimum est de plus ou moins 20 $. Et si on vous prenait en train de le faire à nouveau, eh bien, le montant pourrait atteindre 2000 $!

Donc, à votre place, je ne courrais pas de risque ; si jamais vous êtes tentés de gâter une de ces petites bêtes en liberté, assurez-vous qu'on ne vous a pas à l'œil avant de commettre... votre crime!

102

MONTRÉAL

QUE FAIRE DE VOS 10 DOIGTS À PART VOUS ASPERGER D'EAU...

FABRIQUEZ VOTRE PROPRE CERF-VOLANT !

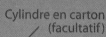

POUR LE RÉALISER, VOUS AUREZ BESOIN DE TOUT CECI :

Ficelle

Cylindre en carton (facultatif)

Papier ou carton léger (à vous de choisir la taille)

Crayons pour tracer et pour dessiner

Ciseaux

Ruban adhésif

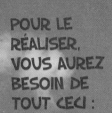

Bandelettes de papier crépon (guirlandes) ou de papier de soie

Baguettes de bois ou piques à brochettes

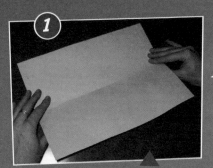

1

Prenez la feuille de papier ou de carton...

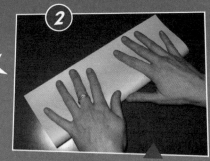

2

... et pliez-la en deux, dans le sens de la longueur.

3

À l'aide du crayon et de la baguette, tracez un triangle...

4

... puis découpez -le.

5

En ouvrant la feuille, vous obtenez un losange. C'est la forme de votre cerf-volant.

6

Coupez ses angles pointus...

7

... et décorez-le à votre goût avec des crayons de couleur ou même un collage !

8

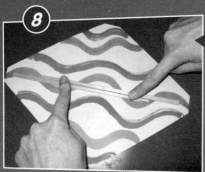

Prenez ensuite les baguettes. Selon leur longueur, il est possible que vous deviez en assembler deux pour combler la partie la plus longue de votre cerf-volant.
Si c'est le cas, collez-les ensemble et fixez-les bien solidement avec du ruban adhésif, comme ceci.

Il faut fixer une baguette à la verticale et une autre à l'horizontale au dos du cerf-volant, à l'aide du ruban adhésif, comme montré ci-dessous.

9

Ensuite, repliez les quatre côtés de votre cerf-volant en créant une bande d'environ 1 cm.

10

11

Faites glisser la ficelle dans les quatre plis en commençant par le bas du cerf-volant et en laissant l'amorce de la ficelle dépasser d'environ 10 cm...

... et collez le tout avec du ruban adhésif.

12

13

14

Coupez un bout de corde de la même longueur que celui que vous aviez laissé au départ.

Nouez les deux bouts de ficelle ensemble en laissant assez d'espace pour faire entrer la queue, un peu plus tard...

Coupez un petit bout de ficelle et attachez les baguettes là où elles se croisent, en glissant la corde sous celles-ci.

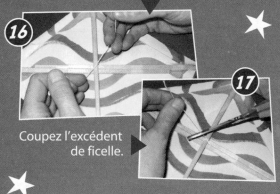

Coupez l'excédent de ficelle.

Percez doucement le papier avec une pointe des ciseaux, de chaque côté de la baguette verticale.

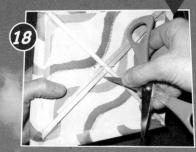

Passez ensuite un autre bout de ficelle à travers ces trous en laissant dépasser une boucle sur le dessus du cerf-volant, comme ceci.

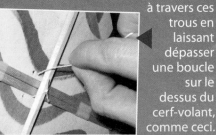

Nouez la boucle en faisant un nœud sur l'envers du cerf-volant. C'est bientôt terminé...

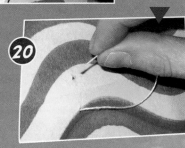

Il faut maintenant attacher la ficelle qui servira à guider et à faire voler votre nouveau chef-d'œuvre. Découpez une très longue ficelle et attachez-la à la boucle que vous venez de créer, sur le côté décoré de votre cerf-volant.

Pour fabriquer la queue du cerf-volant, utilisez le papier crépon. Passez quelques bandes à travers la boucle de ficelle au bas de votre cerf-volant...

... et repliez-les comme sur cette photo.

Vous pouvez les fixer avec du ruban adhésif ou à l'aide d'une agrafeuse.

Voilà ! Vous venez de créer un
CERF-VOLANT !

Si vous avez l'intention de faire voler votre cerf-volant très haut dans le ciel, il serait préférable de fabriquer un dévidoir afin d'éviter que la ficelle s'emmêle. Pour ce faire, vous n'avez qu'à utiliser un cylindre en carton de type rouleau de papier de toilette et à y fixer l'amorce de la longue ficelle avec du ruban adhésif. Enroulez-y ensuite la ficelle. Voilà, c'est simple !

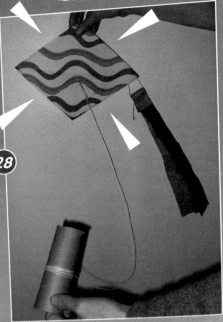

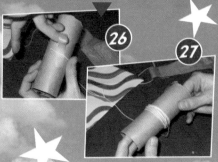

Petits conseils d'utilisation : Si, en le faisant voler, vous constatez que votre cerf-volant tourne sur lui-même, ajoutez des bandes de papier à sa queue. S'il ne décolle pas, enlevez-en... Enfin, il serait plus prudent de tester votre nouvelle création dans un endroit où vous pourrez courir aisément, pas trop près d'une route, de fils électriques et d'arbres. Amusez-vous bien !

Pause pub

Énigmes visuelles

Saurez-vous trouver quel mot représentent les images suivantes ?

Solutions à la page 194

1. *Du*

_____ _____ _____ _____ _____

2.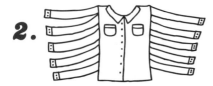

_____ _____ _____ _____ _____ _____ _____ _____

3.

_____ _____ _____ _____

4.  *Une*

_____ _____ _____ _____ _____ _____

5.  *Un* _ _ _ _ _ _

_ _ _ _ _ _

6. 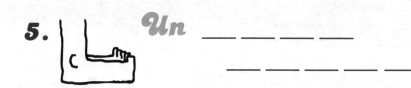 *Une*

_ _ _ _ _ _ _ _ _

7. 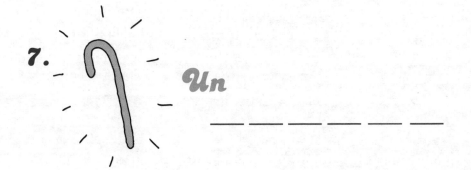 *Un*

_ _ _ _ _ _ _

8. *Un*

_ _ _ _ _ _ _

INTERPRÉTATION DES RÊVES

Vous avez vu en songe un des éléments suivants? Découvrez ce que ça signifie...

★ Éclair

Rêver d'éclairs peut signifier que vous vous êtes fâché contre quelqu'un (vous avez vécu une rupture?) ou que votre vie va bientôt connaître un bouleversement positif (un coup de foudre?). Hum... Pas clair, l'éclair. Si vous entendez le tonnerre en plus de voir des éclairs, c'est signe que vous allez revoir un ami... tombé du ciel.

★ Canard

Si vous voyez un canard en rêve, c'est que vous avez connu ou connaîtrez sous peu une déception. S'il vole, vos ennuis disparaî-tront, ou alors vous recevrez des nouvelles de l'étranger. Ne prenez pas de risque : débarrassez-vous de votre oreiller en plumes...

★ Cascade d'eau

Trois interprétations sont possibles.

1. Renouveau

2. Grande victoire

3. Envie de faire pipi

★ Légumes

Pour votre souper demain soir, je vous donne le choix entre de la pizza et du navet. Donnez-vous une journée ou deux pour y penser... En attendant, vous ne serez peut-être pas surpris d'apprendre que, dans les rêves, les légumes sont un présage de malchance.

★ Paille

Du foin éparpillé symbolise la pauvreté; une botte de foin, la richesse. Et si vous vous réveillez en éternuant, ça signifie que vous avez le rhume des foins...

★ Papillon

Étrangement, un rêve dans lequel on voit voler ces jolies créatures annonce des événements plutôt noirs: décès, emprisonnement, amour qui ne dure pas, infidélité, manque de persévérance... Par contre, si vous attrapez un papillon, la fortune vous sourit. Tant pis pour lui, tant mieux pour vous!

★ Piqûre

Un rêve où vous vous faites piquer n'augure rien de bon. C'est un signe de rivalité, de dispute, de jalousie, de problèmes de santé... Mais en grattant un peu, on découvre que la piqûre peut aussi signifier qu'un bon ami veut vous aider. Il vous proposera peut-être une partie de dards pour vous changer les idées...

★ Plage

Vite, comptez des grains de sable pour vous endormir! Il paraît que le bonheur aime prendre l'aspect d'une plage dans nos rêves. Notez qu'un bateau échoué représente un projet bloqué, tandis qu'une foule réunie sur la plage symbolise une tâche déplaisante (mais payante) à venir. Si vous cherchez quelqu'un sur cette plage, votre rêve signifie que vous tomberez en amour par-dessus la tête.

★ Tracteur

Travaillez bien à l'école et vous rêverez peut-être d'un tracteur. Vous saurez alors que la réussite, la chance et la fortune vous font signe. Dans le bon vieux temps, les élèves studieux rêvaient-ils d'une charrue tirée par des bœufs? Ce qui est certain, c'est que ça fait longtemps qu'on récolte ce qu'on sème.

★ Karaté

Si vous vous prenez pour Jackie Chan pendant votre sommeil, cela peut vouloir dire que quelque chose vous fait peur et que vous avez un trop-plein de nervosité à évacuer. Si vous êtes simplement spectateur d'un combat, attention : des gens que vous connaissez pourraient vous chercher des poux dans un avenir rapproché. Votre pyjama ne serait pas blanc avec une ceinture noire, par hasard?

★ Nage

Si on peut rêver qu'on nage tout habillé lorsqu'on est en chicane avec son entourage, à quoi rêve-t-on quand on est sur le point de se réconcilier? Mais oui! On rêve qu'on nage tout nu! Maintenant, si vous vous réveillez dans un lit humide, c'est une autre histoire...

★ Réfrigérateur

Ça ne veut pas dire que vous n'avez pas mangé à votre faim au souper ni que vous êtes obsédé par le restant de pouding au chocolat que vous avez essayé de cacher derrière le brocoli sur la dernière tablette. Alors, quoi? Qu'est-ce qu'un frigo peut bien venir faire dans vos rêves? Si je vous le dis, vous promettez de ne le répéter à personne? Oui? Bon... Croyez-le ou non, le réfrigérateur signifie que vous apprendrez un secret.

Source: Dictionnaire des rêves (dictionnaire-reves.com)

Le Métier Super Cool

Muraliste

Yannick Picard

Vous adorez dessiner ? Vous aimeriez que tout le monde puisse admirer ce que vous êtes capables de créer avec vos crayons ? Yannick Picard, lui, a trouvé le moyen de se faire connaître par son art. Ce peintre n'a jamais autant exposé ses créations que depuis qu'il réalise des murales. Ça vous intéresse d'en savoir plus ? Lisez ce qui suit !

QU'EST-CE QUE LE MÉTIER DE MURALISTE ?

Vous avez déjà vu d'immenses murs ornés de dessins tout aussi géants ? C'est joli, non ? En plus, ça masque bien la couleur grise et sale de certains édifices. Pour créer ces grandes toiles extérieures qu'on nomme murales, on fait appel à des muralistes comme Yannick. Cependant, il faut d'abord que le propriétaire d'une bâtisse ou la ville à laquelle elle appartient en fasse la demande officielle. La personne qui veut faire décorer son mur propose ensuite un thème à l'artiste afin qu'il invente un dessin lié à ce thème.

COMMENT SE PRÉPARE-T-ON À FAIRE UNE MURALE ?

En fait, chaque artiste a sa propre façon de travailler. Yannick est quelqu'un de très organisé qui préfère tout prévoir. Il commence donc par dessiner son projet en format réduit et il s'applique à y mettre le plus de détails possible. Lorsque le dessin est terminé, il le fait approuver par la personne qui l'a engagé, puis il peut commencer à peindre directement sur le mur.

La première étape est toujours la même : c'est le nettoyage. Yannick doit laver soigneusement la surface sur laquelle il exécutera la murale pour être certain que la peinture y adhère. Puis, il applique une couche de base sur le mur, comme pour se fabriquer une immense toile blanche. Ensuite, il y trace une grille pour diviser la surface en plusieurs carrés, un peu comme dans un cahier à colorier. Il fait la même chose sur son dessin en petit format. Puis, il reproduit son modèle sur le mur en agrandissant chaque petit carré de son dessin de départ. Une fois que tout est tracé, il peut ajouter de la couleur et s'appliquer à peaufiner chaque détail de sa toile géante.

Yannick en pleine action : c'est l'étape du traçage.

COMBIEN DE TEMPS FAUT-IL POUR PEINDRE UNE MURALE ?

Plusieurs mois ! En fait, tout dépend de la grosseur de la surface sur laquelle la murale va figurer. Yannick a déjà consacré jusqu'à quatre mois au même projet (la murale de Montmagny, sa ville natale). Il a commencé son œuvre le 1er juillet 2008 et l'a terminée seulement au printemps suivant, puisqu'il a beaucoup plu cet été-là. Voilà un des problèmes auxquels font face les muralistes : si la température est mauvaise ou trop froide, ils ont du mal à travailler…

AVANT   **APRÈS**

Voici le mur à Montmagny avant que Yannick entame sa murale…

C'est beaucoup plus joli avec ses dessins !

EST-CE QU'IL PEINT SEUL ?

Ça dépend des projets. Lorsqu'il travaille avec l'organisme MU*, il a souvent des assistants, qui font surtout ce qu'on appelle le remplissage, c'est-à-dire qui mettent de la couleur sur les grandes surfaces unies. C'est très long à faire parce que, la plupart du temps, les muralistes peignent directement sur la brique, qui n'est pas une surface lisse. Il faut donc y aller au pinceau et remplir tous les petits trous pour avoir une couleur bien égale partout. Ouf, c'est du boulot !

QUELLE EST LA TOUTE PREMIÈRE MURALE QU'IL A PEINTE ?

Étrangement, Yannick ne pensait jamais être capable de faire des murales. Il aimait beaucoup dessiner et peindre, mais avait peur de s'attaquer à un très gros projet. C'est durant un voyage au Honduras, en Amérique du Sud, qu'il a déniché son premier contrat grâce à un peintre célèbre de ce pays. Là-bas, il a participé à une exposition où différents artistes de partout à travers

le monde devaient créer soit une sculpture, soit une murale. Yannick a alors pensé que c'était le moment idéal pour réaliser sa toute première murale ! C'est là qu'il a eu la piqûre : il s'est dit qu'il pourrait bien en faire son métier. Il avait 23 ans.

Pour une première murale, on peut dire que ce n'est pas mal du tout !

QU'EST-CE QU'IL TROUVE LE PLUS COOL DANS SON MÉTIER ?

Yannick aime bien le moment où il pose la dernière touche de peinture sur sa murale et où il peut enfin reculer pour admirer son travail. C'est toujours très gratifiant de voir le résultat final. Et on comprend pourquoi ! Grâce à ses murales, des centaines de milliers de personnes peuvent apprécier son grand talent. C'est très différent de ce qui se passe lorsqu'il est seul dans son atelier à peindre un tableau que très peu de gens verront.

* MU (« mu » pour « muer », « changer de peau ») est un organisme dont la mission est de mettre en valeur et d'encourager l'art dans les espaces publics de la région de Montréal.

QUELLES SONT LES QUALITÉS NÉCESSAIRES POUR QU'ON DEVIENNE MURALISTE ?

C'est sûr qu'à la base il faut avoir un certain intérêt pour le dessin, et même être assez doué. La patience est aussi une qualité importante parce que le processus de création d'une murale est beaucoup plus long que la réalisation d'une toile de grandeur normale.

QUELLE EST SA MURALE PRÉFÉRÉE PARMI TOUTES CELLES QU'IL A CRÉÉES ?

Habituellement, sa préférée, c'est toujours celle qu'il vient de terminer. Yannick avoue tout de même avoir un petit faible pour la murale qu'il a peinte sur le boulevard Pie-IX, au coin de la 47ᵉ Avenue, à Montréal-Nord. Il la trouve dynamique et pleine de mouvement. Il aime particulièrement la femme qui court, dans la section de droite de la murale. C'est le plus grand personnage qu'il ait peint jusqu'à maintenant, et il en est très fier !

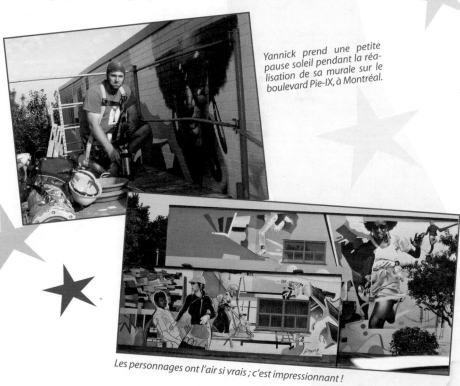

Yannick prend une petite pause soleil pendant la réalisation de sa murale sur le boulevard Pie-IX, à Montréal.

Les personnages ont l'air si vrais ; c'est impressionnant !

POUR VOIR TOUTES LES ŒUVRES DE YANNICK, CONSULTEZ SON SITE WEB :
www.yannickpicardpeintre.com

La réflexion de Léon

Lancez un défi
★ à vos amis ! ★

Voici un petit jeu rigolo pour vous détendre. Vous verrez, c'est assez impressionnant...

1. Vous voyez la liste de mots sur la page de droite? Eh bien, le jeu est simple : vous devez nommer la couleur de chacun de ces mots, à voix haute et le plus rapidement possible. Ça a l'air facile? Essayez pour voir...

2. Normalement, au début, ça devrait bien aller, mais attention, vers la fin, ça risque de se corser...

3. Faites faire ce jeu à vos parents et amis : ils seront étonnés par le résultat !

ANIMAL ORIGINAL

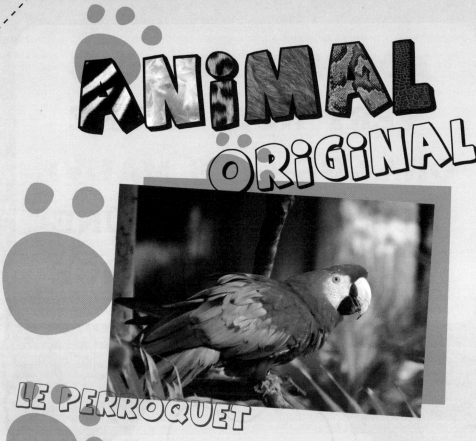

LE PERROQUET

D'où vient-il ?

Avez-vous déjà croisé un perroquet virevoltant dans le parc près de chez vous? Sûrement pas, car cet oiseau exotique vit surtout, à l'état sauvage, dans la forêt amazonienne, située en Amérique du Sud, où il fait très chaud et humide. On en trouve aussi une foule d'espèces des plus colorées en Afrique et en Asie. Comme le perroquet vient d'un pays tropical, il faut s'assurer, lorsqu'on l'adopte, de toujours le garder dans un environnement qui imite son climat naturel. Disons que ce n'est peut-être pas l'ami idéal pour aller jouer dans la neige : il déteste le froid! Offrez-lui plutôt un peu d'affection et de chaleur humaine ; il adorera ça !

Un ami pour la vie !

Avant d'adopter un perroquet, il faut bien réfléchir, car c'est presque comme avoir un enfant, du moins en ce qui concerne la durée de l'engagement. Cette espèce d'oiseau peut en effet vivre aussi longtemps qu'un homme, parfois même plus. Étonnant, non ? Le perroquet gris d'Afrique, par exemple, vit 75 ans en moyenne. Et il ne lui pousse même pas de plumes blanches ! Si on prévoit partir en voyage, il faut lui trouver une gardienne qui s'en oc-cupera à notre place. Cette personne de confiance ne devra pas seulement le nourrir et nettoyer sa cage, mais aussi lui tenir compagnie.

La solitude, très peu pour lui !

Comme il est habitué à vivre en groupe, cet oiseau au plumage flamboyant apprécie beaucoup la présence de son maître et a de la difficulté à rester seul très longtemps. Vous voulez savoir si votre nouvel ami s'ennuie ? Facile : vérifiez s'il s'arrache des plumes. C'est un geste qui ne trompe pas ! Le perroquet qui commence à se déplumer montre un grave symptôme de dépression. Il est alors important de passer plus de temps avec lui, ou de vous assurer que quelqu'un d'autre peut le faire quand vous êtes absent. Un vrai bébé, quoi !

Bavarder ou répéter, tout lui va : il aime communiquer !

Les perroquets sont connus pour leur capacité à imiter les voix humaines. Pour eux, notre langage est une chanson, et ils adorent l'interpréter à leur façon. Certaines espèces ont leur propre voix quand elles prononcent des mots qu'elles ont entendus, d'autres peuvent imiter les différentes voix humaines à la perfection. On peut leur apprendre des mots et parfois même des phrases complètes. On dirait presque une enregistreuse ! Parions que, si vous lui appreniez à répondre au téléphone, il pourrait vous servir de boîte vocale...

Des fruits et des légumes, s'il vous plaît !

Lorsqu'on garde un perroquet en captivité*, il est important de varier son alimentation et de ne pas lui donner seulement des mélanges de graines pour oiseaux exotiques qu'on trouve à l'animalerie. La nourriture prête à servir lui semble vite ennuyante. Pour lui faire plaisir, offrez-lui plutôt un morceau de mangue bien mûre : il en raffole ! Il aime aussi les poires, les pommes, les prunes et les bananes, ainsi que certains légumes, comme la laitue, les carottes et le chou. Des noix peuvent même compléter son menu. Pour ce qui est des quantités, tout dépend de la taille de votre animal. Plus il est gros, plus son appétit l'est aussi.

* Captivité : état d'un être qui est privé de sa liberté, qu'on a enfermé (dans une cage, par exemple).

Lui installer une jolie maison...

On garde habituellement le perroquet dans une cage munie de perchoirs en bois ou en métal, où il peut se poser comme sur une branche d'arbre. Il est important que la cage soit assez grande pour permettre à votre oiseau de faire de l'exercice. Lorsque vous êtes à la maison, vous pouvez aussi le laisser libre ; il ira sûrement vous tenir compagnie et appréciera les grands espaces. Ça ne doit pas être facile de vivre dans un si petit endroit lorsqu'on est habitué à la forêt tropicale !

Malheureusement, les oiseaux domestiques n'utilisent pas de litières, comme le font les chats. Il est donc important de nettoyer régulièrement la petite maison de votre perroquet. Pensez-y : vous n'aimeriez sûrement pas vivre dans votre salle de bain, surtout si elle n'était jamais lavée ! Les cages d'oiseau qu'on trouve dans les animaleries sont souvent dotées d'un tiroir fait exprès pour qu'on puisse les nettoyer sans les ouvrir. C'est très pratique !

Et puis ? Avez-vous toujours envie d'avoir un perroquet comme animal de compagnie ? Une chose est certaine, c'est qu'en plus d'être attachant, cet oiseau hors du commun provoque des fous rires garantis ! Mais il faut aimer se faire réveiller par le chant des oiseaux, parce que le perroquet n'est pas du genre à faire la grasse matinée les samedis...

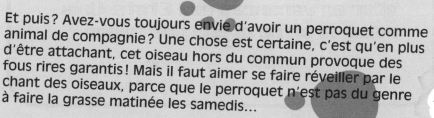

Vrai ou faux ?

1. La fête nationale des Québécois est célébrée le 1er juillet.

   VRAI   FAUX

2. Toute personne qui sait nager peut devenir sauveteur dans les piscines de quartier.

   VRAI   FAUX

3. Les mouches à feu, ces petits insectes qui font de la lumière le soir, sont aussi appelées lucioles.

   VRAI   FAUX

4. Depuis le 1er juin 2009, il faut absolument avoir un passeport pour aller en vacances aux États-Unis, même si on ne prend pas l'avion.

   VRAI   FAUX

5. Les Îles-de-la-Madeleine sont connues pour la qualité du homard qu'on y pêche juste avant le début de l'été, en mai.

VRAI   FAUX

6. En France, les élèves ont seulement deux semaines de vacances durant l'été.

VRAI   FAUX

7. Le mot « barbecue » vient de l'espagnol « barbacoa », une vieille expression originaire des Caraïbes qui désignait un mode de cuisson directement sur le feu.

VRAI   FAUX

8. L'été commence toujours officiel-lement autour du 21 juin : c'est à ce moment qu'a lieu ce qu'on appelle le solstice d'été.

VRAI   FAUX

Réponses à la page 194

Légendes québécoises

Jos Montferrand

Une légende est une histoire inventée s'inspirant de personnages, d'évènements ou d'endroits réels. Chaque conteur en rajoute un peu, c'est ainsi que la légende grandit... Et tant pis si vous ne me croyez pas !

Jos Montferrand

Des hommes forts, le Québec en a connu plusieurs... Peut-être avez-vous entendu parler des exploits de Louis Cyr ? Peu importe. Ceux de Jos Montferrand sont dans une classe à part, parce qu'ils symbolisent la résistance des Canadiens français face aux Anglais qui ont conquis la Nouvelle-France. C'est un peu notre Astérix se dressant avec bravoure et astuce devant l'envahisseur.

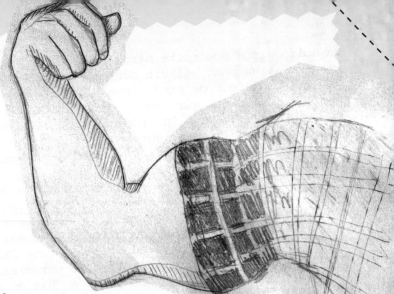

Jos Montferrand, Joseph Favre de son vrai nom, était un Montréalais d'une taille et d'une force exceptionnelles, capable de déraciner un arbre à mains nues. Vous pensez probablement que j'exagère, qu'aucun homme ne peut attraper un boulet de canon au vol ni saisir deux hommes par les cheveux et les lancer dans une charrette... J'avoue que les histoires à son sujet sont nombreuses et plus incroyables les unes que les autres. L'une d'elles raconte même qu'un jour Jos affronta seul et mis en déroute une petite armée. C'est cette anecdote-là que je me propose de vous conter.

Jos Montferrand est né à Montréal en 1802. Plus tard, comme plusieurs de ses compatriotes, il travailla dans un chantier forestier quelque part en Outaouais, où les immigrants irlandais et écossais étaient nombreux. Tout le monde voulait gagner sa croûte, mais les Anglais étant les nouveaux maîtres du pays, les francophones étaient souvent victimes d'intimidation. Et ça, Jos ne pouvait pas le tolérer. Il avait l'habitude de prendre la défense des plus faibles, ce qui avait le don d'irriter les fiers-à-bras anglophones de la région. Ces derniers se dirent que, s'ils mettaient au pas cette force de la nature, cela servirait d'exemple à tous les autres.

Un soir, alors que notre héros revenait du chantier, en traversant un pont, il vit sur la rive opposée 150 Irlandais qui l'attendaient de pied ferme. Jos Montferrand se doutait que ce n'était pas simplement pour lui demander l'heure ou sa recette de sucre à la crème. Malgré leur supériorité numérique écrasante et leur réputation — bien méritée — de bagarreurs redoutables, il marcha droit sur eux. Les 150 hommes furent d'abord surpris par la témérité de leur adversaire, puis ils se ressaisirent et avancèrent vers lui. Jos Montferrand, lui, eut l'idée de saisir par les jambes le premier homme qui lui tomba entre les pattes et de s'en servir comme d'une batte de baseball. Frappant à gauche, frappant à droite, il repoussa tous les autres qui fonçaient sur lui. Ils furent fauchés par dizaines, et plusieurs furent carrément projetés en bas du pont. Un, deux, trois coups sûrs dans la rivière ! Un coup de circuit dans les arbres ! Quand son « bâton » se brisa en deux, Jos s'empara d'un nouvel assaillant et se remit à frapper de plus belle. Et un roulant au champ centre ! Et une chandelle par-dessus le lampadaire ! Ça par exemple ! Le reste de l'équipe décampa.

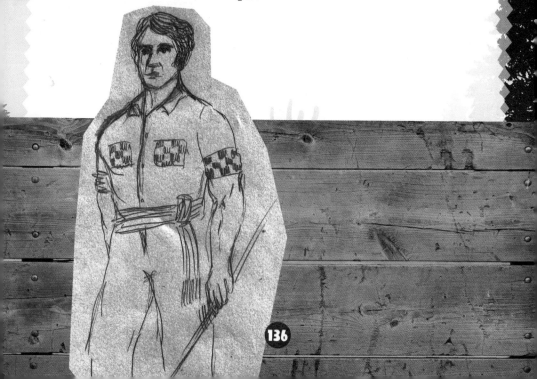

Après cette séance d'abattage improvisée, notre vaillant bûcheron s'en alla retrouver ses amis à la taverne. Afin d'annoncer son arrivée, avec une souplesse extraordinaire pour un géant de deux mètres, il fit vibrer la bâtisse entière en administrant un coup de pied magistral dans la poutre au-dessus de la porte d'entrée. Il en prit l'habitude après chaque bagarre, partout où son métier l'amena et où il eut à défendre des opprimés. Et si vous croyez que j'exagère une fois de plus, vous n'avez qu'à vérifier par vous-mêmes.

De nos jours, certaines des plus vieilles tavernes de la province portent encore la trace de la botte de Jos Montferrand, un Québécois qui n'a jamais connu de maître.

Source : *Les grandes légendes québécoises* / Gaston Gendron + mon grain de sel

137

EXPÉRIENCE TRIPPANTE

SÉPARER LE SEL DU POIVRE... AVEC UNE CUILLÈRE

1)

Ce qu'il vous faut :
- Du gros sel
- Du poivre moulu
- Une cuillère en plastique
- Un chiffon ou un chandail de laine (de la vraie laine)

2)

Versez un peu de gros sel sur la table ou sur le comptoir de la cuisine. Saupoudrez du poivre moulu par-dessus. Frottez bien votre cuillère en plastique avec un chiffon ou un chandail de laine, puis tenez-la au-dessus du sel et du poivre mélangés, pas trop près. Observez comment seuls les grains de poivre viennent s'y coller. Bravo ! Vous commandez au poivre ! Bientôt, si vous trouvez une cuillère en plastique assez grande, le monde entier vous obéira.

3)

Comment ça marche ? En frottant votre cuillère de plastique avec la laine, vous l'avez chargée d'électricité statique, laquelle attire les fines particules de poivre. Le gros sel, plus lourd, ne se collera à la cuillère que si vous rapprochez celle-ci des grains. Trippant ? Oui. Spectaculaire ? Mmm... Pour ça, il existe une variante de cette expérience.

Essayez avec du pop-corn !

Frottez votre cuillère de plastique avec de la laine, puis tenez-la au-dessus d'une assiette dans laquelle vous aurez mis des grains de maïs non éclatés. Au début, l'électricité statique attirera plusieurs grains, qui viendront se coller à la cuillère. Cependant, lorsque ces mêmes grains seront tous chargés également d'électricité, ils se repousseront et décolleront dans toutes les directions. Comme quoi, parfois, les grains de maïs « s'haïssent ».

Source : Webphys Genève

Portrait d'un Québécois célèbre

Jean-Thomas Jobin

Jean-Thomas a grandi à Sainte-Foy, dans la région de Québec. Il vient d'une famille de médecins: son père, son grand-père, son arrière-grand-père, ses oncles et ses cousins sont tous médecins! Même sa mère travaille dans le domaine de la santé: elle est infirmière. On peut donc dire que Jean-Thomas est le mouton noir de sa parenté: ce ne sont pas les sciences qui l'attirent, mais bien le français et tout ce qui a trait à la composition écrite.

Enfant, il est très gêné. La seule idée de devoir faire une présentation devant la classe le terrorise. Jean-Thomas est toujours dans sa bulle et s'amuse de longues heures seul. Il adore le hockey et rêve de jouer plus tard dans la Ligue nationale. Il s'organise des matchs de hockey dans son sous-sol, où il est l'unique joueur, et c'est toujours lui qui compte le but vainqueur du septième match de la finale de la Coupe Stanley! Déjà, à cette époque, il a beaucoup d'imagination…

* Chroniqueur: journaliste qui rédige des **chroniques**, c'est-à-dire des anecdotes qui portent sur un thème particulier.

C'est au secondaire que sa passion pour l'écriture grandit. Il commence à rédiger des éditoriaux* sportifs pour le journal de son école, dans lesquels il donne son opinion. Petit à petit, ses articles deviennent des chroniques absurdes, c'est-à-dire le genre de trucs dont le contenu n'est pas nécessairement drôle, mais qui fait rire à cause de la façon dont on le raconte. Comment en est-il arrivé à adopter ce style bien à lui? En fait, il a découvert ce type d'humour* en observant Marc Labrèche*, qui a été un des premiers à le pratiquer au Québec. Jean-Thomas l'a trouvé complètement fou, et Marc est rapidement devenu pour lui un modèle.

À son école, il suit aussi des cours de théâtre dans lesquels il écrit de petites scènes qu'il joue devant les autres. Pas pire pour un grand timide! Quelle n'est pas la surprise de ses camarades de le voir tout à coup se dégêner et se mettre à dire plein de niaiseries… Jean-Thomas ne les a pas habitués à ça. Il n'est pas reconnu pour être très bavard en classe. En réalité, il est toujours dans la lune, et parfois, il sursaute tellement fort lorsqu'un autre élève se fait disputer qu'il tombe littéralement en bas de sa chaise! On appelle ça un comique naturel…

À 19 ans, il tente de s'inscrire à l'École nationale de l'humour de Montréal pour devenir scripteur*, mais il n'est malheureusement pas sélectionné. Il décide alors d'étudier au Collège Radio Télévision de Québec pour découvrir le monde des médias et apprendre à y travailler. Cette école (où il apprécie particulièrement les cours liés à la radio) l'aide à être moins timide en public et lui donne le goût de partager son humour avec les gens. C'est la première fois qu'il pense vraiment être capable de monter sur scène pour donner des spectacles.

* Éditorial: article d'un journal ou d'une revue qui reflète l'opinion de son auteur.
* Marc Labrèche: acteur et animateur québécois (entre autres de l'émission *3600 secondes d'extase*).
* Scripteur (en humour): métier qui consiste à écrire des sketchs et des blagues pour un humoriste.

À 23 ans, avec sa nouvelle confiance en lui, Jean-Thomas tente à nouveau sa chance à l'École nationale de l'humour, cette fois-ci en tant qu'humoriste. Et devinez quoi ? Il est accepté ! Youpi ! Après deux ans d'études et quelques expériences de scène, il se dit que ça pourrait être ça, sa vie : raconter des blagues et faire rigoler les gens. C'est quand même cool comme métier, non ?

Contrairement à beaucoup d'humoristes qui se font connaître en présentant des numéros dans les bars aux quatre coins du Québec, Jean-Thomas lance sa carrière en faisant quelques apparitions à la télévision. Ses chroniques dans l'émission *Le Grand Blond avec un show sournois*, animée par Marc Labrèche, constituent sa première expérience. Imaginez : il a la chance de travailler avec son idole de jeunesse. Tout un début de carrière ! En 2004, Jean-Thomas gagne un prix important, l'Olivier* de la découverte de l'année, puis il parcourt le Québec pour présenter son premier spectacle solo*.

Aujourd'hui, il se prépare à nous offrir son deuxième spectacle. Il devrait passer très bientôt dans une salle près de chez vous, histoire de vous faire bien rigoler ! C'est à ne pas manquer…

* Olivier : nom d'un trophée québécois remis aux meilleurs humoristes.
* Solo : où l'on est seul.

Questions **rafraîchissantes** à un humoriste **drôlement** sérieux

Es-tu plutôt du type été ou hiver?

En fait, je suis vraiment plus hiver qu'été. Bien sûr, c'est en partie parce que je peux pratiquer mon sport préféré, le hockey, durant les mois d'hiver. Et puis l'été, j'ai toujours chaud, c'est collant, ça pique! Les canicules, ça me tue. Je ne sais pas quelle est la température de mon corps, mais chez moi, l'hiver, je ne mets jamais de chauffage et je n'ai pas froid. Je dois avouer que j'aime quand même un peu l'été, surtout pour jouer au tennis! En fait, j'apprécie notre climat, avec ses quatre saisons. Je trouve que nous sommes bien chanceux au Québec de profiter de cette richesse et je ne changerais ça pour rien au monde.

Quels sont tes plus beaux souvenirs de vacances?

Les camps de vacances! J'y suis allé de l'âge de 8 ans jusqu'à 16 ans. J'ai particulièrement aimé le camp Marist, dans le New Hampshire, aux États-Unis. Au début, mes parents m'y envoyaient pour que j'apprenne l'anglais. Je passais presque tout l'été là-bas. On s'amusait à toutes sortes d'activités: on jouait au baseball, au tennis, on faisait du kart, de l'équitation, de la voile. Six semaines à jouer tous les jours: c'était le paradis! Je ne voulais jamais que ça finisse et j'avais très hâte d'y retourner chaque année.

Qu'aimes-tu manger l'été?

J'adore les cornets de crème glacée molle avec du coulis de fraises intégré. Le blé d'Inde aussi est un mets que j'associe à l'été et que j'ai hâte de manger chaque année.

Quelle est ta sorte de popsicle préférée ?

Quand j'étais plus jeune, c'étaient les rouges. En fait, tous mes bonbons préférés étaient de cette couleur. Mais, aujourd'hui, je dois avouer que j'ai un petit faible pour les bleus…
Même chose pour la sloche : la sloche bleue, c'est trop bon !

Qui te fait rire ?

Les Denis Drolet*. Je les trouve vraiment hilarants. En plus, nous avons étudié ensemble à l'École nationale de l'humour. Ils sont devenus mes amis. Moi, j'aime les humoristes qui nous étonnent, et ça, les Denis Drolet le font très bien. Quand nous nous retrouvons tous les trois, nous partons dans des délires épouvantables. Il ne faudrait pas que quelqu'un nous filme, ça pourrait être gênant…

Quel est, pour toi, l'endroit idéal où passer l'été ?

Les glissades d'eau. Je capote là-dessus ! C'est ce que je préfère de l'été. J'y vais moins aujourd'hui parce que mes amis ne veulent plus m'accompagner… Mais, plus jeune, j'y allais souvent. J'aimais particulièrement les glissades qui ne finissaient plus. Je me rappelle être allé à un endroit aux États-Unis, près de Boston, où il y avait des glissades interminables. J'aurais pu y passer tout l'été ! Et ce qui est super avec les glissades d'eau, c'est qu'on peut toujours se rafraîchir… Comme ça, on n'a jamais trop chaud !

* Les Denis Drolet, duo d'humoristes québécois, toujours habillés de brun, qui font dans l'humour absurde.

144

TERRAIN

DE JEUX

Trouvez la suite logique de chacun de ces groupes :

1. année · décennie · siècle · _____

2. castors · louveteaux · _____

3. viande hachée · maïs · _____

4. rivière · fleuve · mer · _____

5. pique · cœur · carreau · _____

6. feuille d'érable · castor · voilier · _____

7. 0,75$ · 1,50$ · 3$ · 6$ · _____

8. feu · terre · air · _____

9. primaire · secondaire · collégial · _____

10. ace · FHJ · KMO · PRT · _____

DOUBLE JEU

Trouvez les trois lettres manquantes dans chacun des mots suivants :

Jeu A :

.....mbre

......nson

.....let

.....nger

.....rme

Jeu B :

Bo.....

es.....ier

.....epin

ami.....

.....culer

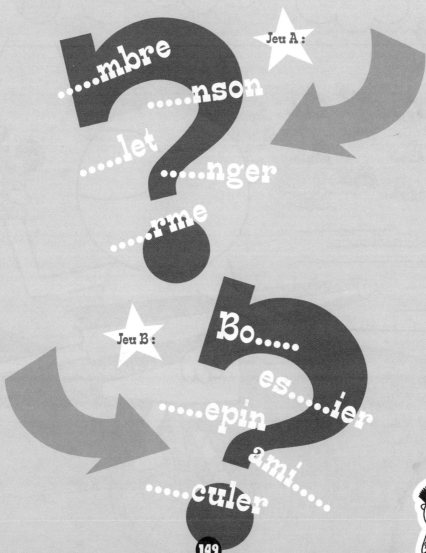

RÉBUS MYSTÈRE

À l'aide des rébus, trouvez les mots qui vont dans les cases ci-dessous. À la fin, quand vous aurez rempli toutes les cases, un mot* apparaîtra dans le rectangle rouge vertical...

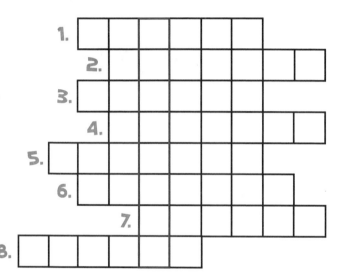

*Indice : Léon aime bien en boire l'été...

1.

2.

3.

4.

5.

6.

7.

8.

VUE D'EN HAUT

Imaginez que vous observez cette forme d'en haut.
À laquelle de ces images correspondra-t-elle ?

TROUVEZ LE BON REFLET...

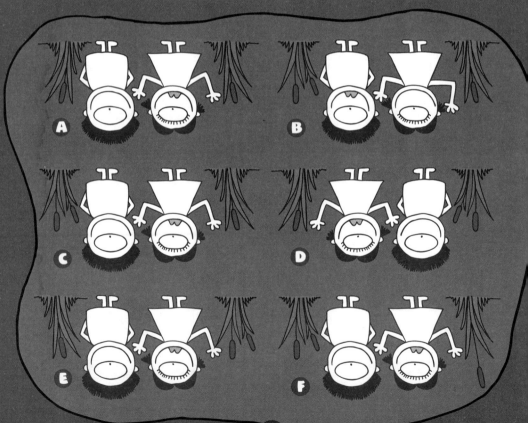

SILHOUETTE SECRÈTE...

Pour découvrir la silhouette qui se cache dans ce dessin, vous n'avez qu'à noircir toutes les formes contenant une étoile, puis à retourner la page sur le côté pour bien voir le résultat final !

Qui va à la chasse trouve les réponses !

Toutes les réponses à ce chassé-croisé sont dans ce livre. Normalement, si vous avez tout bien lu, vous devriez pouvoir les trouver sans jamais avoir à consulter les pages. Bonne chasse !

1. Comment appelle-t-on le genre de vélo sur lequel Léon et Lola roulent sur la page couverture ?

2. À quel sport Lola invite-t-elle Léon et le Chat à jouer avec elle dans une des bandes dessinées ?

3. Sur quel sujet porte **L'En-cyclope-édie** (au pluriel) ?

4. Dans quelle province canadienne se trouve le camp de vacances où Annie Groovie est allée en 1985 ?

5. Quel est le **métier super cool** de Robert Lamontagne ?

6. Quel est l'animal présenté dans la chronique **Animal original** ?

7. Quel était le vrai prénom de Jos Montferrand, un des hommes les plus forts du Québec ?

8. Dans l'**expérience trippante**, avec quel instrument en plastique peut-on arriver à séparer le sel du poivre ?

9. Dans le portrait de Jean-Thomas Jobin, on le voit, enfant, porter le chandail de quelle équipe de hockey ?

10. Quel est le nom du vêtement qu'on porte l'été et dont on vous explique l'origine dans la chronique **D'OÙCÉQUECÉQUEÇAVIENT** ?

11. Dans quel pays le tout premier livre de la saga *Harry Potter* a-t-il été publié ?

12. Quel est le nom du magnifique papillon aux ailes orangées avec des bordures noires à pois blancs qu'on peut voir au Québec ?

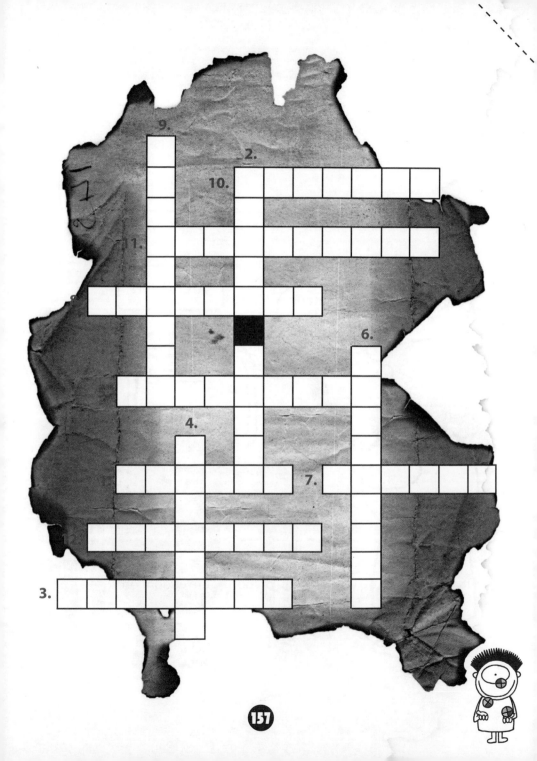

Pause pub

GRANDE VENTE DE
LIQUIDATION
DE JUS
Tout doit être écoulé*!
JUS d'orange
JUS de tomate
*Jusqu'à épuisement... du personnel

DOÙCÉQUECÉQUEÇAVIENT ?

POUR CONNAÎTRE L'ORIGINE DES CHOSES... SELON LÉON ET SELON LES EXPERTS !

Euh...
S'cusez, monsieur...

solutions à la page 194

L'ORIGINE DU MOT « CERF-VOLANT »

QUI DIT VRAI ?

A. LE « CERF » DU MOT « CERF-VOLANT » VIENT DE L'ANCIEN FRANÇAIS « SERP » (LE P EST MUET), QUI SIGNIFIAIT « SERPENT ». EN EFFET, AU MOYEN ÂGE, L'ANCÊTRE DE NOTRE CERF-VOLANT RESSEMBLAIT À UNE LONGUE QUEUE DE SERPENT OU DE DRAGON QU'ON MANŒUVRAIT AU GRÉ DU VENT, D'OÙ LE NOM « SERPENT VOLANT ». AU FIL DU TEMPS, LE MOT « SERP » A DISPARU DU LANGAGE. POUR CONTINUER À TRANSCRIRE UNE EXPRESSION QUI ÉTAIT COMPRISE PAR TOUT LE MONDE, ON S'EST MIS À EMPLOYER UN NOM QUI SONNAIT DE LA MÊME FAÇON, « CERF ».

B. IL Y A LONGTEMPS, LES CERFS VOLAIENT. ILS N'ÉTAIENT PAS CHASSÉS COMME AUJOURD'HUI. ILS ÉTAIENT TROP PRÉCIEUX POUR ÇA. ILS ÉTAIENT GARDÉS DANS DES ENCLOS, DES CORDES ATTACHÉES AUX PATTES. LORSQU'ILS AVAIENT FAIM, ILS DESCENDAIENT SE NOURRIR. POUR AMUSER LES ENFANTS, LES ADULTES SE SONT MIS À CONFECTIONNER DES OBJETS VOLANTS SUR LESQUELS ON DESSINAIT L'ANIMAL. LES CERFS ONT CESSÉ DE VOLER, MAIS LE JOUET EST RESTÉ.

L'ORIGINE DU MOT « BERMUDA »

QUI DIT VRAI ?

A. Le bermuda, ce vêtement à mi-chemin entre le short et le pantalon, est né par accident. Un jour, à la fin des années 1920, le couturier Eugène Le Ber se trompa dans ses mesures. Résultat : des milliers de pantalons trop courts furent confectionnés par son atelier. Pour éviter la ruine, son associé Peter Muda eut l'idée de les vendre en les présentant comme des pantalons d'été. Doté de quelques poches supplémentaires pour ranger la lotion solaire et les mots croisés, leur pantalon nain, baptisé le Ber-Muda, remporta un franc succès. Loin d'être ruinés, ils passèrent le reste de leurs jours sous le soleil, à jouir de leur bonne fortune.

B. Pour faire une histoire courte... Au début du siècle, afin de supporter le climat tropical des Indes, les soldats anglais qui étaient affectés dans cette colonie britannique se sont mis à porter un pantalon qui tombait juste au-dessus des genoux. Quelques années plus tard, les policiers des îles Bermudes, une autre colonie britannique, ont opté pour ce type de pantalon court. Les touristes en provenance des États-Unis, très nombreux aux Bermudes, ont vite adopté et popularisé ce vêtement, maintenant considéré comme typiquement américain.

Saviez-vous ça ?

Saviez-vous que, dans tous les pays de l'hémisphère Sud (qui se situent donc en dessous de l'équateur, cette ligne imaginaire tracée autour de la Terre, à mi-chemin entre les pôles Nord et Sud), l'été commence le **21 décembre** et se termine le **21 mars** ?

En Australie, par exemple, le réveillon de Noël se tient souvent autour... du barbecue ! On est loin de la dinde et des tourtières : on y mange plutôt du homard et des grillades de viande bien dorées, confortablement assis sur une terrasse !

Ça doit être étrange de fêter Noël... en gougounes !

DES ÉTÉS QUI SONT PASSÉS À L'HISTOIRE

→

C'EST ARRIVÉ À L'ÉTÉ DE 1969

L'HOMME MARCHE SUR LA LUNE

Voler... Marcher sur la Lune... Deux grands rêves de l'humanité. Le premier s'est réalisé en 1903 quand un Américain, Wilbur Wright, a piloté son avion sur une distance de 37 m... Exactement 66 ans plus tard et 384 403 km plus loin, deux astronautes américains ont marché sur la Lune au cours de la fameuse mission Apollo 11.

Le 21 juillet 1969, par une belle et chaude soirée, après 4 jours de voyage, le commandant **Neil Armstrong** a posé le pied gauche sur la Lune et prononcé ces mots devenus célèbres : **«Un petit pas pour l'homme, un grand bond en avant pour l'humanité.»**

Il a été rejoint 20 minutes après par **Edwin Aldrin,** le pilote du module lunaire **Eagle** (aigle). En passant, Buzz Lightyear (le film *Histoire de jouets,* vous connaissez ?) a été baptisé ainsi en l'honneur d'**Aldrin,** dont le surnom était Buzz. En tout, les deux astronautes ont séjourné 21 heures sur la Lune avant de regagner la capsule spatiale **Columbia,** que leur collègue **Mike Collins** maintenait en orbite autour du satellite (si jamais on vous le demande, la Lune est un satellite de la Terre, pas une planète). Trois jours plus tard, ils sont revenus sains et saufs sur la Terre et ont déclaré 21 kg de roches aux douanes. Un voyage d'une semaine, ça peut paraître court, mais avouez que, dans ces circonstances, ça bat deux semaines à Cuba.

Des millions d'êtres humains ont suivi les premiers pas de l'homme sur la Lune en direct à la télé. Vos grands-parents aussi, peut-être... Cette nuit-là, ont-ils rêvé qu'ils volaient jusqu'à la planète Mars ?

Évidemment, les Terriens ne se sont pas contentés de marcher sur la Lune. En 1971, pendant la mission **Apollo 14**, **Alan Shepard**, le cinquième homme à débarquer sur la Lune, y a joué au golf.

Sources : lepoint.fr / First Flight Society

C'EST ARRIVÉ À L'ÉTÉ DE 1976

NADIA COMANECI ATTEINT LA PERFECTION AUX JEUX DE MONTRÉAL.

Si les Jeux olympiques d'été de Montréal sont mémorables, c'est un peu beaucoup grâce à une Roumaine de 14 ans, Nadia Comaneci. Elle est devenue la première athlète de l'histoire des Olympiques à obtenir une note parfaite dans une épreuve de gymnastique.

L'adolescente a accompli cet exploit à l'épreuve des barres asymétriques (les barres sont parallèles, mais ne sont pas placées à la même hauteur). Si le cadran électronique des juges a affiché la note 1,00, c'est tout simplement parce qu'il n'y avait d'espace que pour trois chiffres sur l'appareil. À l'époque, on croyait qu'il était impossible pour un gymnaste d'obtenir une note supérieure à 9,99. Mais, pour **Nadia Comaneci**, ce n'était pas suffisant. Elle a obtenu 1,00 (10) six autres fois aux épreuves de la gymnastique au sol et de la poutre.

Pas surprenant qu'avec de tels résultats elle ait été déclarée meilleure athlète des **Jeux de Montréal**. Après avoir vu ses exploits à la télé, tous les enfants ont voulu l'imiter. Cet été-là, il y a eu un nombre record d'inscriptions dans les clubs de gymnastique. Sans compter que beaucoup de filles nées en **1976** ont été baptisées **Nadia**...

Les exploits de **Nadia Comaneci** font en sorte qu'aujourd'hui, lorsqu'on pense aux **Jeux d'été de Montréal**, on oublie souvent les performances des autres athlètes. Tant pis pour le gymnaste **Nikolai Andrianov**, qui avait pourtant remporté pas moins de sept médailles. Et tant mieux pour le pentathlète* **Boris Onishchenko**, dont la tricherie a elle aussi été oubliée : il avait trafiqué son épée de telle sorte que, pendant l'épreuve d'escrime, la lumière indiquant qu'un point est marqué s'allumait d'elle-même. La preuve que personne n'est parfait... enfin, presque personne !

* Le pentathlon consiste en cinq épreuves : escrime, tir au pistolet, natation, équitation et course à pied (cross-country).

Source : olympic.org

C'EST ARRIVÉ À L'ÉTÉ DE 1997

LE MONDE FAIT LA CONNAISSANCE
D'HARRY POTTER

Harry Potter à l'école des sorciers, le premier livre de la saga* bien connue, a été publié le 30 juin 1997 en Angleterre sous le titre *Harry Potter et la pierre philosophale.* Le titre a été modifié à la demande de l'éditeur américain, qui le trouvait trop compliqué pour les enfants. Parce qu'on croyait que les garçons seraient moins attirés par un roman écrit par une femme, on a demandé à l'auteure Joanne Rowling d'adopter un nom plus neutre, d'où les initiales J.K. (K pour Kathleen, le prénom de sa grand-mère) devant Rowling.

L'histoire fantastique du petit **Harry Potter**, un fils de sorciers élevé par des moldus (non-sorciers) après la mort de ses parents, a tout de suite connu beaucoup de succès auprès des jeunes lecteurs. Maltraité par sa famille d'adoption, **Harry** est réintégré dans le monde de la sorcellerie afin d'entreprendre sa véritable éducation à l'école **Poudlard**, où il se révèle exceptionnellement doué pour la magie et le **quidditch**, un sport qui se pratique à califourchon sur un balai volant. Il se lie d'amitié avec **Ron** et **Hermione**, et il affronte **Lord Voldemort**, l'assassin de ses parents.

Depuis ce beau jour de juin (du moins, on espère qu'il faisait beau, mais on n'en est pas sûr, parce qu'il pleut sou-vent en Angleterre), *Harry Potter à l'école des sorciers* et les six livres qui racontent la suite de ses aventures ont été traduits en au moins 65 langues et lus par des centaines de millions de personnes. Petit détail estival : **Joanne Rowling** a eu l'idée de son roman au cours d'un voyage en train à l'été 1990.

Et vous ? Que lisez-vous pendant vos vacances, à part votre *Léon* ?

* Saga : récit dont la durée est assez longue
Sources : Wikipédia et jkrowling.com

C'EST ARRIVÉ À L'ÉTÉ DE 2000

ÉRIC MOUSSAMBANI ÉTABLIT UN NOUVEAU RECORD AU 100 M NAGE LIBRE

Éric Moussambani, un jeune homme de la Guinée équatoriale, a fait des vagues aux Jeux olympiques d'été de Sydney. Il faut préciser que, lorsqu'il a établi son record, ce nageur avait la piscine olympique pour lui tout seul. Pourtant, n'allez pas croire qu'il a profité d'un avantage déloyal... Les deux autres concurrents de sa vague de qualifications avaient été éliminés après avoir connu un faux départ. Et son record est en fait... un record de lenteur ! Il a nagé 100 mètres en 1 min 52 s. Si Éric avait nagé avec sept autres athlètes dans une vraie ronde éliminatoire, l'avant-dernier concurrent serait arrivé plus d'une minute avant lui. Juste pour vous donner une idée, le médaillé d'or des Jeux de Sydney a gagné l'épreuve en 47 s.

Qu'est-ce qu'**Éric** faisait là, alors ? Eh bien, il a pu participer à la compétition grâce à un permis spécial du Comité olympique international, parce qu'il représentait un pays en voie de développement. La **Guinée équatoriale** ne possédait ni installations adéquates ni programme olympique. **Éric** a commencé à s'entraîner seulement huit mois avant les **Jeux**, en nageant dans la petite piscine d'un hôtel de son pays.

Après être devenu une vedette malgré lui, celui qu'on a surnommé **l'anguille** s'est entraîné très fort pendant quatre ans en vue des **Jeux** suivants, ceux d'**Athènes**. Malheureusement, il n'a pu y participer à cause d'une erreur d'inscription commise par sa fédération sportive. Sa carrière de nageur est donc tombée à l'eau, mais **Éric Moussambani** s'est assuré une place dans le livre des records en natation... pour l'instant. Les records, même les pires, sont faits pour être brisés.

Source : natation.suite101.fr

Malgré sa piètre performance, les spectateurs et les athlètes le trouvèrent très courageux. Grâce à sa détermination, il a conquis le monde entier.

TEST PERSO

Êtes-vous plutôt Du type été ou hiver?

C'est ce qu'On va voir!

---

1. quelle est votre activité sportive préférée?

(Z) Le soccer (Y) Le hockey (X) La planche à neige
(W) La balle molle

---

2. La fin De l'été approche. Vous êtes plutôt Du Genre à...

(X) ... crier victoire: vous n'en pouvez plus De la chaleur. (Z) ... être un peu Déçu De Devoir encore une fois remplacer vos bermuDas par Des pantalons. (Y) ... être content parce que vous allez bientôt pouvoir maGasiner votre manteau D'hiver. (W) ... essayer De convaincre vos parents De tous les avantaGes qu'il y a à vivre Dans le SuD.

---

3. quel serait votre moDe De Détente favori Dans les choix ci-Dessous?

(W) Être assis les Deux pieDs Dans le sable à reGarDer la mer.
(Y) Siroter un bon chocolat chauD après une journée intense De plein air. (Z) ManGer un Mr. Freeze jumbo De couleur bleue au borD De la piscine. (X) Faire une sieste Dans l'iGloo que vous venez tout juste De construire.

4. Votre GranD-mère veut vous offrir une sortie spéciale pour votre anniversaire. Vous êtes plutôt Du Genre à...

Ⓩ ... lui DemanDer Des billets pour un spectacle extérieur l'été prochain. Ⓦ ... opter pour les GlissaDes D'eau. Ⓨ ... choisir une conférence sur les explorateurs De l'Arctique. Ⓧ ... lui DemanDer De vous accompaGner à la pêche sur la Glace!

5. Si vous pouviez choisir n'importe quel enDroit où vivre Dans le monDe, lequel préféreriez-vous?

Ⓦ Les Caraïbes, car il y fait tout le temps beau et chauD! Ⓧ Le pôle NorD: vous avez toujours été fasciné par les animaux qui y vivent. Ⓨ Vous resteriez ici puisque vous trouvez ça chouette D'avoir quatre saisons. Ⓩ Le suD De l'Europe, car il n'y fait jamais vraiment froiD.

6. Vos parents vous annonCent que vous allez passer une semaine Dans le SuD au mois De février. Vous êtes plutôt Du Genre à...

Ⓩ ... DemanDer à vos parents, un peu inquiet, si c'est la saison Des ouraGans là-bas. Ⓦ ... sauter au plafonD en vous exclamant: << Vive la plaGe et les palmiers! >> Ⓨ ... être Déçu parce que vous allez manquer la classe De neiGe, penDant laquelle vous Deviez faire De la raquette, De la planche à neiGe et De la motoneiGe. Ⓧ ... Dire à vos parents que vous préféreriez aller passer la semaine chez votre GranD-mère pour ne pas manquer vos cours De ski.

7. Laquelle De ces situations trouvez-vous le moins cool?

W Sortir De la Douche quand le chauffage n'est pas encore allumé et que vous avez l'impression que vos cheveux Gèlent sur votre tête. **Z** Avoir les souliers pleins D'eau parce que vous venez De marcher Dans un tas De neiGe transformée en sloche. **X** Avoir trop chaud en Dormant et être tout en sueur Dans votre pyjama. **Y** Être assis Devant un feu De camp, et GroGner parce que vous avez trop chaud quand vous êtes près Des flammes et trop froiD lorsque vous vous en éloiGnez!

8. Il y a une tempête à l'extérieur. Vous êtes plutôt Du Genre à...

X ... vous précipiter Dehors pour en profiter au max! **W** ... reGarDer le calenDrier et à compter les jours qui vous séparent Du Début Du printemps. **Y** ... DéciDer De rester à l'intérieur parce que la température est trop mauvaise, même si vous aviez prévu faire De la ranDonnée en forêt avec un ami. **Z** ... trouver le temps lonG, vu que vous ne savez jamais quoi faire Dans ces moments-là.

9. Laquelle De ces situations trouvez-vous top cool?

X Glisser en tripe avec vos amis sur une montaGne après une Grosse tempête De neiGe. **Y** Vous jeter Dans un tas De feuilles mortes. **W** PrenDre un bain De minuit Dans votre piscine, l'été, et reGarDer les étoiles. **Z** Vous promener en t-shirt au mois D'avril, Durant la première journée De soleil.

10. La Date Du voyaGe De ski annuel que vous faites en famille approche à GranDs pas. Vous êtes plutôt Du Genre à...

X ... compter les jours parce que vous avez trop hâte. **Y** ... être content D'aller faire Du ski tout en reDoutant la température, puisque cette sortie tombe toujours penDant la périoDe la plus froiDe De l'année! **W** ... commencer à faire semblant que vous êtes Grippé, en espérant que vous arriverez à vous en sauver! **Z** ... essayer De convaincre vos parents De faire une autre activité cette année parce que vous Détestez avoir les pieDs Gelés Dans vos bottes De ski!

Résultats :

Vous avez obtenu une majorité De X :

Vous, l'hiver, ça ne vous fait pas peur ! En fait, vous aDorez la neiGe et tout ce qui est relié à cette saison. Juste à penser à l'humiDité De l'été québécois, vous faites la Grimace. Vous préférez le chocolat chauD aux popsicles!

Vous avez obtenu une majorité De Y :

Vous êtes aussi actif l'hiver que l'été. Vous aimez avoir chauD autant qu'avoir froiD ; la Diversité vous plait, quoi ! Rien De mieux que la succession De l'hiver, Du printemps, De l'été et De l'automne pour ne jamais s'ennuyer!

Vous avez obtenu une majorité De Z :

Vous appréciez les Différences entre les saisons, mais vous avez un tout petit penchant pour l'été. En fait, vous êtes De ceux qui aDorent le printemps. Sentir que l'été s'en vient (mis à part les crottes De chiens qui réapparaissent quanD la neiGe fonD...) sans subir les inconvénients Des GranDes chaleurs, vous trouvez ça merveilleux!

Vous avez obtenu une majorité De W :

Vous, l'hiver, ça ne vous Dit rien. En revanche, la chaleur, le soleil, la plaGe... là, vous vous retrouvez Dans votre élément ! quoi De plus aGréable que De se promener sans manteau, en GouGounes... Si seulement ça pouvait être comme ça toute l'année!

Légendes québécoises
le rocher Percé

Une légende est une histoire
inventée s'inspirant de personnages,
d'évènements ou d'endroits réels.
Chaque conteur en rajoute un peu,
c'est ainsi que la légende grandit...
Et tant pis si vous ne me croyez pas !

Le rocher Percé

Si vous êtes déjà allés à Percé, en Gaspésie, vous avez sûrement admiré le rocher Percé. Non loin de là, au cap des Rosiers, un autre rocher a la forme d'un navire. Connaissez-vous son histoire ?

En 1649, Blanche de Beaumont et le chevalier Raymond de Nérac étaient sur le point de s'épouser en Normandie. Amoureux au possible, ils passaient leur temps à se minoucher et à faire de longues promenades dans les bois. Le mariage dut toutefois attendre, car quelques semaines avant les noces, le roi ordonna au régiment du chevalier de Nérac d'aller combattre les Iroquois en Nouvelle-France. Raymond songea un instant dire au roi que ça lui tentait plus ou moins, le froid, les maringouins, tout ça... Mais, en bon soldat, il obéit sagement aux ordres de Sa Majesté. Brave Raymond.

Un an passa. Ne supportant plus d'être séparés et d'avoir si peu de nouvelles l'un de l'autre, les amoureux décidèrent que Blanche rejoindrait son futur époux par le prochain bateau, qui partait le samedi suivant. Après plusieurs semaines de navigation, tout le monde fut soulagé en entrant dans le golfe du Saint-Laurent, car cela signifiait que le voyage tirait à sa fin. Il faut dire qu'à cette époque la traversée de l'Atlantique, effectuée à bord de bateaux qui craquaient de partout, était périlleuse, étant donné le lot de maladies qu'elle entraînait et les tempêtes qu'il fallait affronter. De plus, Blanche fit honneur à son prénom. Blême à longueur de journée, elle eut le mal de mer quelque chose de grave. Elle vomissait tout le temps. Heureusement, maintenant qu'elle se savait proche de son beau Raymond, elle se sentait beauuucoup mieux.

Manque de chance, des pirates choisirent à peu près ce moment pour les attaquer sournoisement, en pleine nuit. Le choc fut brutal. Les marins du roi se défendirent bravement contre des adversaires deux fois plus nombreux qu'eux. Ils savaient que les pirates faisaient très rarement des prisonniers. Sur le pont, les hommes tombaient comme des mouches. Un dernier carré de défenseurs résista jusqu'à l'aube devant la cabine de Blanche, qui s'était remise à être malade (on pouvait l'entendre vomir malgré le vacarme provoqué par les lames des sabres qui s'entrechoquaient et les coups de pistolet). Finalement, l'équipage au complet et son capitaine, l'oncle de Blanche, furent massacrés sans pitié.

Pour les attaquants, le triomphe était total : ils avaient capturé un navire royal sans tirer un coup de canon, ce qui signifiait que sa cargaison était intacte, incluant le mystérieux passager que l'équipage avait tenté de protéger en y laissant sa peau. Sûrement s'agissait-il d'une personne de haut rang en échange de laquelle ils pourraient obtenir une forte rançon. Le chef des pirates, un barbu malodorant aux manières peu délicates, s'apprêtait à enfoncer la porte quand elle s'ouvrit d'elle-même. Devant cette bande de pas fins se dressait la plus belle femme qu'ils aient jamais vue. Son teint blême et les taches sur sa robe ne diminuaient en rien sa splendeur. Blanche de Beaumont demanda à parler au chef des pirates.

Elle expliqua au bandit que son futur époux paierait une rançon considérable si on lui laissait la vie sauve. Le pirate répondit que le premier de ses hommes qui toucherait à l'un des cheveux de la dame serait étripé sur-le-champ. Quelle chance, pensa-t-elle, d'être tombée sur un sentimental! Le capitaine précisa qu'aucune somme d'argent ne pouvait être assez grande pour lui ravir sa future femme. « C'est moi qui t'épouserai, dit-il, et ensemble nous aurons des bébés barbus. » Elle eut beau le supplier, invoquer une allergie aux poils de barbe, il resta inflexible. Blanche pensa alors qu'elle allait être malade, mais rassembla tout son courage et sauta plutôt dans les eaux glacées du Saint-Laurent, où elle coula à pic. Un matelot tenta de la retenir, mais ne réussit qu'à lui arracher une mèche de cheveux. Il fut étripé sur-le-champ.

Peu de temps après, un brouillard se leva qui dura toute une journée et toute une nuit, jusqu'à l'aube suivante. Les bateaux avaient dérivé, et la première chose que virent les pirates quand le brouillard se dissipa un peu fut le rocher Percé. N'ayant jamais vu une masse aussi impressionnante, ils la fixèrent des yeux, tant et si bien que l'un d'eux finit par remarquer sur le rocher une femme vêtue d'une robe d'un blanc éclatant (à l'exception de quelques taches). Elle les regardait intensément. Quand tous les regards des marins sans exception rencontrèrent celui de la dame blanche, le bateau fut transformé en pierre. Les vagues ont modifié sa forme depuis, mais on peut toujours la voir au pied du cap des Rosiers. Selon la légende, les cris des oiseaux sont ceux des pirates condamnés pour l'éternité à tournoyer autour de leur navire de pierre en le souillant.

Source : *Les grandes légendes québécoises* / Gaston Gendron + mon grain de sel

Je ne vois vraiment pas ce qu'il y a de relaxant à prendre un bain...

AYEZ L'AIR INTELLIGENTS

en observant et en identifiant les papillons du Québec

Parce qu'un papillon, c'est quand même plus intéressant qu'un maringouin, non ?

Le *Danaus plexippus*, communément appelé le monarque, est l'un de nos plus grands papillons !

Incroyable...

Le papillon pond; sa larve devient ensuite une chenille qui, au bout d'un moment, s'enferme dans un cocon appelé chrysalide pour se transformer quelques semaines plus tard en un magnifique papillon. Voici certains des spécimens les plus remarquables du Québec, avec leurs noms latins pour avoir l'air encore plus intelligents.

Le monarque (Danaus plexippus)

C'est l'un de nos plus grands papillons, d'où son nom (monarque est synonyme de roi). Ses ailes sont orange avec des bordures noires à pois blancs. Pendant sa croissance, la chenille de Sa Majesté mange une herbe toxique qui lui donne très mauvais goût, dit-on (je n'ai pas vérifié). Même s'il n'en consomme plus une fois adulte, le monarque conserverait un arrière-goût si désagréable que les oiseaux qui l'attrapent le recrachent. Quel gaspillage! L'été, on peut le trouver un peu partout dans la province. L'hiver, il est au Mexique. Pas étonnant pour un Québécois, mais beaucoup plus rare pour un insecte! Cette balade de 4000 km, franchis à une vitesse moyenne de 32 km/h, occupe deux mois et demi de sa courte vie.

L'amiral (Limenitis arthemis)

C'est l'insecte emblématique du Québec, choisi pour sa beauté par les écoliers lors d'un sondage. Ce bourreau des cœurs fréquente surtout les forêts, les lacs et les ruisseaux. Posé sur un arbre, les ailes relevées, il est invisible. Mais dès qu'il les abaisse et révèle leur face toute noire, avec ses bandes blanches et ses points bleus et rouges, il devient irrésistible. Irrésistibles, nous le sommes parfois pour lui. S'il vous tourne autour, c'est probablement parce que vous suez abondamment. En effet, l'amiral adoooore le sel. Vous saviez que votre sueur est salée, n'est-ce pas? Lui, en tout cas, il le sait.

Le papillon du céleri (Papilio polyxenes asterius)

On le croise dans les champs, mais aussi dans les villes, car là où il y a un jardin contenant, entre autres délices, des feuilles de céleri, notre ami n'est pas loin. Il en profite pour pondre. Quand sa chenille est menacée, il lui pousse des cornes. Le temps venu, elle se transformera en papillon dont les ailes pourvues de queues sont noires, ornées de rangées de points jaunes et de deux taches orange au centre noir. On pense que les taches orange et les queues du papillon du céleri imitent des yeux et des antennes pour que les prédateurs se trompent de côté lorsqu'ils l'attaquent. Ça a du sens, selon vous?

La saturnie cécropia (*Hyalophora cecropia*)

La... quoi? Saturnie comme dans Saturne (à cause des taches en demi-lunes sur ses ailes, qui rappellent les anneaux de la planète Saturne) et cécropia comme dans Cécrops, un roi légendaire à moitié serpent (la chenille de ce papillon est plutôt longue). Le plus grand papillon du Québec vit la nuit, sort de son cocon uniquement en mai ou en juin et survit à peine quelques jours, deux semaines au gros max... Par chance, la nature est bien faite: il est difficile à manquer, ce gros cerf-volant rouge et blanc de 16 cm d'envergure aux antennes en minou.

Le sphinx colibri (*Hemaris thysbe*)

Le sphinx colibri butine en volant sur place comme un colibri, mais il est beaucoup plus petit que cet oiseau. Petit, mais rapide: il peut filer à 55 km/h! Son surnom de sphinx, il le doit à sa chenille qui, lorsqu'elle est menacée, redresse le devant de son corps et incline la tête par en avant, ce qui est censé nous rappeler le sphinx d'Égypte. Même à l'âge adulte, notre moineau ne se laisse pas faire: il a une corne sur l'abdomen destinée à effrayer ses prédateurs.

Le papillon tigré du Canada (*Papilio canadensis*)

Il est jaune rayé de noir, comme un tigre, mais il est beaucoup moins gros et ne mord pas. Entre mai et juillet, on le trouve un peu partout, y compris près de la cime des arbres. Car il aime voler haut, contrairement aux tigres...

Source:
La toile des insectes du Québec

Du 9 au 13 août,
surveillez les Perséides !

Les Perséides (ou étoiles filantes) sont de petits grains de poussière venus de l'espace qui prennent feu en entrant à très grande vitesse dans l'atmosphère terrestre.

Pour en voir, il faut que quelques conditions particulières soient réunies. Tout d'abord, le ciel doit être dégagé et sombre, et vous devez vous trouver dans un endroit assez vaste et ouvert, un champ, par exemple… Si vous avez la possibilité de vous éloigner un peu de la ville, c'est l'idéal. S'il reste des sources de lumière à proximité, comme des lampadaires, évitez de les regarder, car cela pourrait vous éblouir. Sinon, pas besoin de jumelles ni de télescope. Vos grands yeux, bien ouverts, feront l'affaire.

Après avoir repéré l'endroit idéal , installez-vous sur une chaise ou une couverture, la tête bien appuyée, et fixez le ciel dans son ensemble, en promenant votre regard un peu partout. On ne sait jamais où l'étoile filante apparaitra et, comme elle passera très vite, il faut rester attentifs. Au bout de quelques minutes, vous devriez apercevoir une rapide trainée de lumière. C'est une étoile filante !

Il ne vous restera alors qu'à fermer les yeux et à faire un vœu… Bonne chasse !

www.planetarium.montreal.qc.ca

CODE
SEC
RET

À la page suivante, vous trouverez une spirale d'insectes qui, une fois décodée, formera une phrase. Celle-ci est le code secret !

Pour vous aider, servez-vous de la légende suivante. La phrase commence tout au centre de la spirale.

Bonne chance !

LÉGENDE

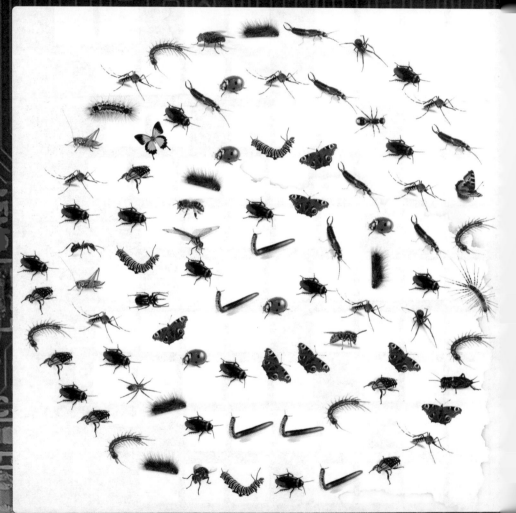

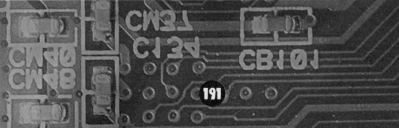

SOLUTION DU CODE SECRET

Indice : cette phrase contient toutes les lettres de l'alphabet.

Les 25 premières personnes qui me verront
la solution de ce code secret par courriel
(annie@anniegroovie.com) recevront une BD de Léon
gratuite. Cette offre prend fin le
31 août 2010 à minuit.

FAITES VITE !

ANNIE GROOVIE PRÉSENTE

Léon
À SON MEILLEUR ! VOLUME 1

Oups...

la courbe échelle

En plus de la solution du code secret, n'oubliez pas d'inscrire
votre nom, votre âge et votre adresse dans le courriel.
Pour savoir combien de lecteurs ont participé à ce concours
jusqu'à maintenant, rendez-vous au www.anniegroovie.com
dans la section CONCOURS CODE SECRET.

SOLUTIONS

P. 157

CANADIEN — BERMUDA — ANGLETERRE — CUILLERE — ASTRONOME — PERROQUET — TANDEM — JOSEPH — MONARQUE — PISCINES

P. 80: HOMME, POUR HOMME-GRENOUILLE, HOMME-SANDWICH ET HOMME-ORCHESTRE.

P. 130-131

1: FAUX. C'EST LE 24 JUIN.
2: FAUX. IL FAUT AVOIR SUIVI UNE FORMATION SPÉCIALE.
3: VRAI
4: VRAI
5: VRAI
6: FAUX. ILS EN ONT HUIT, À PEU PRÈS COMME CHEZ NOUS.
7: VRAI
8: VRAI

P. 26

1. A) SUBWAY B) L'AUBAINERIE C) TIM HORTONS D) WALMART
2. A) REDBULL B) BAZOOKA C) BURGER KING

P. 112-113

1. DU CÉLERI (SEL RIT)
2. DIMANCHE (DIX MANCHES)
3. HIER (I-R)
4. UNE SAUCISSE (SEAU 6)
5. UN PIED CARRÉ
6. UNE CAROTTE (K ROTE)
7. UN CANARD (CANNE OR)
8. UN VERGER (VER G)

P. 152

1 délire
2 licorne
3 ramper
4 sourire
5 pointer
6 châssis
7 dehors
8 danser

P. 162-163
SOLUTIONS : A - B

P. 96-97

AUSSI INCROYABLE QUE CELA PUISSE PARAÎTRE, LES POINTS ORANGÉS SONT BIEN ALIGNÉS. LES TROIS CARRÉS SONT DE LA MÊME DIMENSION. LE POINT ROUGE EST EN PLEIN CENTRE DE LA FLÈCHE ET LES DEUX CERCLES DU MILIEU SONT EXACTEMENT PAREILS. VOUS NE ME CROYEZ PAS ? SORTEZ VOTRE RÈGLE ET VÉRIFIEZ PAR VOUS-MÊMES !

P. 154
SOLUTION : C

P. 149
JEU A : CHA
JEU B : CAL

P. 153
SOLUTION : G

P. 44-45

LÉON DIT : « A - TEMPS - J'ŒUFS - DOIGTS - MEUH - RÉ - POT - Z'HAIE - UN - PEU... »
LE CHAT RÉPOND : « A - TTENDS, JE DOIS ME REPOSER UN PEU... »
(« A - AN - HAT - TEMPS - DENT ? »)
COU - A - AN - HAIE - MOU - A - J'ŒUFS - FÉE
(« ET MOI, JE FAIS QUOI EN ATTENDANT ? »)

P. 148

1. MILLÉNAIRE
2. ÉCLAIREURS
3. POMMES DE TERRE
4. OCÉAN
5. TRÈFLE
6. ORIGINAL
7. IZS
8. EAU
9. UNIVERSITAIRE
10. UWY

P. 150-151

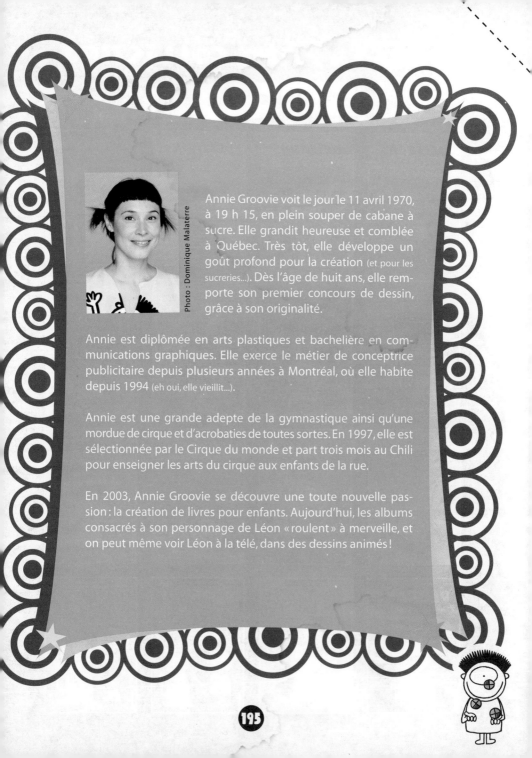

Photo : Dominique Malaterre

Annie Groovie voit le jour le 11 avril 1970, à 19 h 15, en plein souper de cabane à sucre. Elle grandit heureuse et comblée à Québec. Très tôt, elle développe un goût profond pour la création (et pour les sucreries...). Dès l'âge de huit ans, elle remporte son premier concours de dessin, grâce à son originalité.

Annie est diplômée en arts plastiques et bachelière en communications graphiques. Elle exerce le métier de conceptrice publicitaire depuis plusieurs années à Montréal, où elle habite depuis 1994 (eh oui, elle vieillit...).

Annie est une grande adepte de la gymnastique ainsi qu'une mordue de cirque et d'acrobaties de toutes sortes. En 1997, elle est sélectionnée par le Cirque du monde et part trois mois au Chili pour enseigner les arts du cirque aux enfants de la rue.

En 2003, Annie Groovie se découvre une toute nouvelle passion : la création de livres pour enfants. Aujourd'hui, les albums consacrés à son personnage de Léon « roulent » à merveille, et on peut même voir Léon à la télé, dans des dessins animés !

DANS LA MÊME COLLECTION

 ## DÉLIRONS AVEC LÉON

DES HEURES DE PLAISIR !

COLLECTION

RIGOLONS AVEC LÉON

ENCORE PLUS DE PLAISIR !

COFFRETS DÉLIRONS AVEC LÉON

COLLECTION LE MEILLEUR DE LÉON

Les éditions de la courte échelle inc.
5243, boul. Saint-Laurent
Montréal (Québec) H2T 1S4
www.courteechelle.com

Conception, direction artistique et illustrations : Annie Groovie
Collaboration au contenu : Joëlle Hébert et Martin Bernier
Collaboration au design et aux illustrations : Émilie Beaudoin
Révision : André Lambert et Valérie Quintal
Infographie : Nathalie Thomas et Aurélie Roos
Muse : Franck Blaess

Dépôt légal, 3e trimestre 2010
Bibliothèque nationale du Québec

Copyright © 2010 Les éditions de la courte échelle inc.

La courte échelle reconnaît l'aide financière du gouvernement du Canada par l'entremise du Programme d'aide au développement de l'industrie de l'édition pour ses activités d'édition. La courte échelle est aussi inscrite au programme de subvention globale du Conseil des Arts du Canada et reçoit l'appui du gouvernement du Québec par l'intermédiaire de la SODEC.

La courte échelle bénéficie également du Programme de crédit d'impôt pour l'édition de livres — Gestion SODEC — du gouvernement du Québec.

Catalogage avant publication de Bibliothèque et Archives nationales du Québec et Bibliothèque et Archives Canada

Groovie, Annie

    Délirons avec Léon. Spécial vacances : BD, gags, jeux et plus encore !

    Pour enfants de 8 ans et plus.

    ISBN 978-2-89651-355-0

1. Jeux intellectuels - Ouvrages pour la jeunesse. 2. Vacances - Ouvrages pour la jeunesse. I. Titre. II. Titre : Spécial vacances.

GV796.53.G763 2010   j796.98   C2010-940315-0

Imprimé en Malaisie